OUVRAGES DU MÊME AUTEUR

———————

PAR TERRE ET PAR EAU

NOS ANIMAUX CHEZ EUX

LES POISSONS DE NOS EAUX

INCONNUS ET MÉCONNUS
*(Amphibiens et Reptiles
de la Province de Québec)*

PERCÉ ET LES OISEAUX DE L'ÎLE BONAVENTURE

*La maquette de la couverture est une création du
Studio Gagnier, Fleury et Associés,
d'après un dessin original de J.F. Landsdowne,
gracieusement fourni par
Les Papiers fins Domtar Ltée.*

CLAUDE MÉLANÇON

CHARMANTS VOISINS

Avec 66 dessins en noir
par
Jacques Bédard

CINQUIÈME ÉDITION

ÉDITIONS DU JOUR

1651, rue Saint-Denis, Montréal

À Malou,
l'amie des oiseaux,
ces oiseaux amis.

NOUVELLE NOMENCLATURE

Le Service canadien de la faune a publié la liste officielle des noms français, anglais et scientifiques des oiseaux du Canada. Pour éviter toute confusion elle doit être adoptée en son entier, lors même qu'on préférerait peut-être à un certain nombre de nouveaux noms ceux déjà donnés par les taxonomistes français.

Suivent les noms français, anglais et latin que doivent porter désormais toutes les espèces mentionnées dans ce livre. L'auteur a cru devoir y ajouter des précisions sur la longueur moyenne de chaque oiseau. Cette liste a été tirée de *LES OISEAUX DU CANADA* de M. Earl Godfrey, conservateur de la collection d'oiseaux du Musée national du Canada, livre magnifiquement illustré et qui fait autorité.

P. 15 — La Gélinotte huppée — L. 16.0 à 19.0 po.

P. 21 — La Corneille américaine — Angl. Common Crow — L. 17.0 à 21.0 po.

P. 28 — (Le Mainate bronzé) — Angl. Common Grackle — L. 11 à 13.5 po.

P. 31 — (La Sturnelle des prés) — Angl. Eastern Meadowlark — L. 8.5 à 11.0 po.

P. 34 — Le Pluvier kildir — *(Charadrias vociferus)* — Angl. Kildeer — L. 9.0 à 11.25

P. 38 — (Le Merle américain) — Angl. American Robin — L. 9.0 à 10.8 po.

P. 42 — Le vacher à tête brune — Angl. Brown-headed Cowbird — L. 7.0 à 8.25 po.

P. 46 — L'Alouette cornue — (Eremophila alpestris) — Angl. Horned Lark — L. 6.8 à 8.0 po.

P. 50 — Le Plectrophane des neiges — L. 5.75 à 6.5 po.

P. 53 — Le Moineau domestique — Angl. House sparrow — L. 5.3 à 6.7 po.

P. 57 — (Le Junco ardoisé) — L. 5.75 à 6.5 po.

P. 59 — (Le Pinson vespéral) — *(Pooecetes gramineus)* — L. 5.5 à 6.7 po.

P. 61 — (Le Troglodyte familier) — L. 4.5 à 5.3 po.

P. 67 — (Le Pic doré) — *(Colaptes auratus)* — Angl. Yellow-shafted Flicker — L. 12.0 à 13.0 po.

P. 70 — (Le Pic mineur) — *(Dendrocopos pubescens)* — L. 6.3 à 7.2 po.

P. 72 — Le Pic chevelu — *(Dendrocopos villosus)* — L. 8.5 à 10.5 po.

INTRODUCTION

Les quelques soixantes-dix oiseaux qui figurent dans ce recueil de notices biologiques ne représentent qu'une fraction des trois cent six espèces qu'on aurait cataloguées dans le Québec. Sachant par expérience que la plupart de nos oiseaux échappent à l'observateur passager, parce que rares ou trop sauvages, l'auteur s'est borné à décrire les plus communs, ceux qu'on peut voir sans les chercher puisqu'ils vivent dans notre horizon familier.

Le choix des sujets est donc arbitraire. De plus, leur classement n'a que de lointains rapports avec la systématique savante[1]. Au lieu d'être présentés dans un ordre conventionnel fondé sur des caractères anatomiques permanents, ils sont groupés par rang de taille, du plus grand au plus petit, selon leurs habitudes terrestres, arboricoles ou aériennes[2]. On aura ainsi ceux qui piètent, ceux qui se perchent, ceux qui tiennent l'air, etc. Petits moyens d'identification qui, avec les dessins et quelques caractéristiques apparentes signalées dans le texte, permettent d'éviter les longues descriptions techniques, indispensables aux spécialistes, mais fastidieuses et souvent déroutantes pour l'amateur.

Toutefois, si ce livre s'éloigne beaucoup des traités d'ornithologie, ce n'est pas dédain à leur endroit. Au contraire, l'un de ses buts est d'inciter à la lecture d'oeuvres plus complètes tous ceux qu'il peut convaincre de l'intérêt qu'offre l'étude des oiseaux. Mais, suite d'une série d'ouvrages de vulgarisation sur

---

(1) Pour celle-ci voir Taverner : « Les Oiseaux du Canada » ou le catalogue officiel.

(2) Sous chaque nom d'oiseau la longueur en pouces, de l'extrémité du bec à l'extrémité de la queue, est indiquée par la lettre « L » et un chiffre.

la faune canadienne (en particulier celle du Québec)[3], son principal objet est de faire aimer ces charmants voisins, chaînons de vie étroitement soudés au nôtre, dont le Créateur a fait nos auxiliaires et qu'il a mis sous notre protection en nous dotant d'une intelligence supérieure.

C'est pourquoi l'auteur s'est surtout efforcé de dégager la personnalité de ses modèles, de mettre en relief le pittoresque de leurs moeurs et l'importance de leur rôle dans la Nature. Le chant, la pariade, la nidification, la mue, les migrations, sujets qui prêteraient chacun à d'intéressantes dissertations, ne sont ici que des incidents biologiques affectant l'espèce. Celle-ci est toujours traitée comme un tout distinct.

Ce procédé, qui permet de situer chaque oiseau dans le plan universel et de mieux déterminer sa vie propre, a cependant ses défauts. Ce n'est qu'indirectement qu'il sert la gent ailée. L'utilité de celle-ci est un exemple. Elle ne reçoit pas ici toute l'attention qu'il faudrait. Certes, le rôle économique de l'oiseau est maintes fois rappelé dans ces pages, mais son importance mérite mieux que des mentions. Il ne faut pas oublier que sans oiseaux, le monde, tel que nous le connaissons, n'existerait pas; les insectes auraient tôt fait de le dépouiller de toute végétation et par conséquent de toute vie. C'est le bec qui nous défend des mandibules; c'est lui qui, en protégeant nos récoltes et la nourriture de nos troupeaux, assure notre propre survivance.

Ce livre ne dit pas non plus comment l'homme doit à l'oiseau sa plus audacieuse conquête. Et pourtant, s'il n'avait eu un modèle et un émule, aurait-il jamais réalisé ce rêve immense de voler dans l'air ?

Mais il faut en prendre son parti : l'Oiseau est une créature trop souple, trop vivante, trop merveilleusement douée pour être emprisonnée en un certain nombre de feuillets. Toujours il échappe à une description complète. Et puis, encore

---

(3) Les ouvrages précédents sont : « Nos Animaux chez eux » (Mammifères) « Les Poissons de nos eaux » « Inconnus et Méconnus » (Amphibiens et reptiles)
La Société Zoologique de Québec a publié subséquemment :
« Inconnus et Méconnus » (Amphibiens et Reptiles).

une fois, cet ouvrage n'est qu'une introduction à ce passionnant chapitre de l'Histoire naturelle qui traite de cet ancien reptile à qui Dieu a permis de se donner des plumes et de conquérir l'espace. L'auteur n'a pas eu l'ambition de tout dire, mais d'en dire assez pour qu'on s'intéresse et qu'on s'attache davantage aux oiseaux.

Dans cette tâche agréable, il a été secondé d'abord par ses modèles eux-mêmes, et ensuite par l'illustrateur, Jacques Bédard, dont les dessins consciencieux servent et les oiseaux et l'ouvrage. Il a aussi profité largement des savants conseils de M. le chanoine Léon Marcotte, professeur d'Histoire naturelle au Séminaire de Sherbrooke, et des observations des grands ornithologues contemporains, tels Chapman, Forbush, Audubon, Taverner et autres. A ces maîtres sont acquises son admiration et sa reconnaissance.

CEUX QUI PIÈTENT

LA GÉLINOTTE HUPPÉE

(Bonassa umbellus)

Vulg. : **Perdrix, Perdrix des bois francs, Perdrix grise (ou rouge)**

Angl. : **Ruffed Grouse, Pheasant, Partridge.**

L. 17 po.

Couleur prédominante : gris roussâtre.

LE plus gros de nos oiseaux terrestres doit surtout à sa personnalité la place qu'il occupe ici, puisque nous pouvons difficilement le considérer comme un voisin. Sa farouche indépendance, son goût prononcé pour le couvert et la solitude, son régime alimentaire, tout l'éloigne de nos demeures. S'il nous visite parfois c'est plutôt par gourmandise que par amour ou besoin de protection. Il mangera bien quelques fleurs de nos vergers, partagera le grain de nos volailles, picorera notre raisin et nos petits fruits, mais il ne se liera pas. Quand il lui arrivera de pénétrer vivant dans nos maisons (en brisant un carreau ou en défonçant une moustiquaire), ou de se jeter la tête

la première sur un passant, à pied ou en automobile, c'est qu'il
aura momentanément perdu le contrôle de soi. Les naturalistes vous diront que ces actes de démence, assez fréquents à
l'automne, sont provoqués, soit par un instinct migrateur comprimé, soit par des parasites dont les piqûres énervent et affo-
lent les victimes.

Mais si la Gélinotte nous fuit d'instinct, nous, nous l'aimons
bien, surtout quand elle est aux choux, et sa rencontre à l'état
de nature est toujours un événement. Car si c'est le plus noble
de nos gibiers à plume, celui qui affronte le chasseur avec le
plus de crânerie, c'est aussi un oiseau remarquable à plusieurs
points de vue :

Dans la grande forêt du nord, elle conserve sa belle ignorance primitive, et se laisse en toutes saisons approcher assez
facilement, mais dans les milieux dits civilisés, là où l'homme
l'a éduquée, à coups de fusil, il faut choisir son moment pour la
voir.

Le meilleur est le printemps. En empruntant alors les
vieux chemins boisés, en rôdant dans les bosquets un peu touf-
fus près de nos propriétés de campagne, il y a chance de sur-
prendre une poule sur son nid de feuilles, couvant ses dix à
quatorze oeufs au pied d'un arbre ou d'un rocher, sous une souche ou un tronc d'arbre renversé. Plus tard, dans les mêmes
lieux, à l'orée des bois et dans les *talles* de fraises des champs,
c'est elle qui nous surprend et de façon assez désagréable.
Comme la couleur de son plumage s'harmonise avec celle du
décor elle nous voit la première et, si nous approchons trop
près, elle nous saute au visage et nous gifle de ses courtes ailes
robustes. Geste tout à son honneur, puisqu'il est dicté par
l'amour maternel ou l'instinct équivalent. Pendant que nous
défendons nos yeux, repêchons notre souffle dans nos souliers
et essayons de remettre notre coeur en marche, les poussins en-
trevus au moment de l'attaque ont le temps de se cacher. Dé-
barrassés de leur mère qui essaie maintenant de nous entraîner
à sa suite en feignant de s'être blessée à mort sur notre nez,
nous nous penchons pour voir l'une des jolies boules de duvet,
rayées comme des *suisses* (Tamias) à qui elle enseignait tantôt
le répertoire des choses comestibles. Mais où la trouver ?
Toutes ont disparu comme par enchantement; et si nous entre-
voyons une petite ombre qui se faufile dans l'herbe c'est pour
la voir disparaître aussitôt.

C'est que les jeunes gélinottes ont un merveilleux instinct de protection. Elles ne se jettent pas sur le dos en tenant une feuille sèche dans leurs pattes comme on le prétend, mais elles jouent avec art de la dérobade et du mimétisme. Elles s'accroupissent sur le sol de façon à se confondre avec lui, se blottissent sous une pierre, une motte de terre, une touffe de foin, et si habilement qu'il faut beaucoup de patience et d'expérience pour les trouver. Dans certains cas désespérés elles se jettent même à l'eau; grave imprudence puisque n'ayant pas de duvet imperméable comme les canetons, ni l'adresse des adultes qui, en pareils cas, se glissent sous les arbustes du rivage ou s'enfoncent en tenant leur bec dehors, elles sont bientôt noyées.

Pour éviter l'élément de surprise dans ces premières rencontres avec la Gélinotte il ne faut pas trop compter sur l'aide d'un chien. Pendant la couvaison la poule est inodore et ses poussins jouissent du même privilège pendant quelques semaines. Une sollicitude de la Providence à l'endroit de ces oiseaux dont une grande partie de la vie se passe à terre.

C'est aussi au printemps que le coq gélinotte révèle ses caractéristiques les plus curieuses. Avant la pariade il signale sa présence par des roulades qui rappellent celles du tambour et s'entendent de très loin, à des milles de distance quand le vent est propice. Malheureusement, le son ainsi produit a les mêmes propriétés que la voix du ventriloque : il est difficile d'en déterminer la provenance. Et puis, si le tambourineur roule ainsi son défi d'amour à tous les autres coqs il n'entend pas nous inviter aux combats violents qu'il livre à ses rivaux, ni à la cour pleine de fatuité qu'il fait à la femelle. C'est pour elle, ou plutôt pour toutes les femelles que sa musique guerrière attire, que ce polygame déploie ses grâces un peu lourdes, ouvre l'éventail à dix-huit rayons de sa queue, se rengorge dans sa fraise noire et esquisse de comiques pas de danse. Notre présence, quand il la découvre, lui enlève tous ses moyens et, chose plus grave, lui fait perdre la face devant les poules : il fuit comme un amoureux transi.

Mais l'observateur qui réussit à tromper sa vigilance et consent à tenir l'affût aux petites heures d'un matin froid est témoin d'un des plus curieux spectacles de la forêt :

Les pattes solidement plantées sur un tronc d'arbre renversé, une souche ou un rocher, le coq respire profondément, bombe la poitrine, s'appuie sur sa queue étalée et bat des ailes de haut en bas avec une telle rapidité que l'air comprimé entre le corps convexe et l'aile concave produit ces roulades qui expriment son ardeur combattive et la profondeur de ses sentiments amoureux.

Nos Indiens croyaient que le bruit provenait du heurt de l'aile contre le bois et plusieurs naturalistes ont soutenu que l'oiseau se frappait la poitrine ou frappait ses ailes l'une contre l'autre. La caméra cinématographique a mis tout le monde d'accord en démontrant le rôle que joue l'air dans cette musique barbare, répétée jusqu'à épuisement, à intervalles de cinq minutes environ.

Le plus étonnant n'est pas le volume de son, ni le fait qu'on l'entende en été et même en automne alors qu'il semble n'avoir plus de sens; c'est de découvrir après cette exécution énergique, après cette rage qui s'exerce contre son auteur, un oiseau qui n'est pas déplumé de la crête aux ergots.

L'été on rencontre parfois la Gélinotte dans les vieux chemins peu fréquentés où elle picore le crottin comme un vulgaire moineau, s'époille dans la poussière ou mange du gravier pour aider sa digestion. A l'automne le cultivateur la voit dans ses champs d'avoine et de sarrazin. Puis l'ouverture de la chasse la renvoie au couvert, généralement dans le coin de forêt où elle est née, dont elle connaît toutes les retraites. C'est là qu'elle se mesure avec le plus intelligent de ses ennemis et souvent se joue de lui.

Ses ruses sont innombrables. La plus connue est l'*explosion*. Elle consiste à s'envoler brusquement, à côté ou devant l'homme, en faisant tourbillonner les feuilles mortes et avec un bruit d'une ampleur disproportionnée à sa taille. Bruit si surprenant que le novice, et même le vieux fusil en restent pétrifiés d'étonnement. Grâce aux secondes d'émoi ainsi provoquées l'oiseau a le temps de dérober son vol derrière un fût ou derrière le rideau des feuilles, de se percher dans le bouquet d'un conifère touffu ou plus simplement de faire un crochet et de revenir, sur des ailes silencieuses, se poser derrière le chasseur.

Le véritable sportsman estime la Gélinotte pour l'ingéniosité qu'elle met à lui échapper et lui offre sa gerbe de plomb selon les règles d'une étiquette courtoise. Par considération il ne la tue pas à terre. Quand il la surprend sur le sol, immobile, le bec en l'air, raide comme un *chicot,* il la fait s'envoler avant de tirer. Mais la majorité de nos nemrods suivent l'exemple des Peaux-Rouges qui la chassaient à l'arc : ils amènent un chien fort en gueule qui la fait percher et occupe son attention. Et ils fusillent sans vergogne ces magnifiques jouteurs qui se défendraient bien du fusil ou du chien, mais succombent devant leur alliance.

Quand la neige et le froid renvoient tous les donneurs de mort à leur club et à leurs récits colorés, les Gélinottes se réunissent par couples ou par petites bandes. Des montagnes, leur habitat préféré, elles gagnent parfois les forêts de la plaine, mais elles n'émigrent pas. Robustes, débrouillardes, chaussées de poils rudes faisant fonction de raquettes, les jambes au chaud dans leurs belles culottes de plumes qui les distinguent justement des vraies perdrix au tarse nu, satisfaites de manger des bourgeons après le menu varié de l'été, elles affrontent nos hivers rigoureux. Quand les arbres craquent sous l'effet du gel elles creusent des trous dans la neige et campent comme des Esquimaux. C'est là que le Renard ou le Lynx les surprennent, mais ne les attrapent pas toujours, car elles rament dans la neige avec leurs ailes et sortent de leur cachette en plein vol.

Un autre danger auquel elles échappent moins facilement est le verglas. S'il se produit quand elles sont sous la neige il les garde quelquefois prisonnières jusqu'à ce qu'elles meurent de faim.

Et ce ne sont pas les seuls périls auxquels est exposé ce magnifique gallinacé. Dès l'oeuf il est guetté par le danger. Sa mère, en couvant, ramasse parfois des feuilles qu'elle met sur son dos et qu'elle laisse tomber sur le nid avant de le quitter, mais elle oublie souvent cette ingénieuse précaution et les corneilles, les belettes, les écureuils, les renards, tous pourvus de bons yeux et friands d'omelettes, ont tôt fait de profiter de cette négligence qui coûte à l'espèce, chaque année, plus de cinquante pour cent de sa progéniture.

Le poussin est aussi attaqué par les fourmis qui le tuent avant qu'il soit assez fort pour les manger lui-même. Et malgré sa robustesse, qui lui permet de quitter le nid peu d'heures après sa naissance, il est sensible à l'humidité. Un printemps

pluvieux fait plus de mal aux Gélinottes que tous les chasseurs
du canton. Enfin, à tout âge, cet oiseau est exposé aux mala-
dies épidémiques, spécialement à celle appelée *tularemia*, et
aux accidents qui sont plus nombreux chez les bêtes qu'on ne
le croit. Sans parler de ces accidents à dents pointues et à
bec crochu que sont les carnassiers et les rapaces, de nombreuses
gélinottes périssent chaque année à la suite d'une rencontre en
plein vol avec un tronc d'arbre. D'autres s'empalent sur des
branches cassées, se crèvent les yeux aux épines ou se cassent
une patte en la prenant dans des radicelles.

Malgré ces handicaps, malgré notre gourmandise, la Gélinotte s'adapte, lutte et continue à se reproduire. Elle déplore
certainement notre intrusion dans sa vie sauvage et libre, mais
sa seule vengeance, et encore est-elle saisonnière, est de nous
empoisonner quand nous la tuons après la fermeture et qu'elle
s'est nourrie de graines d'*herbe à puce* et de Kalmie.

LA CORNEILLE

(Corvus brachyrhyncos.)

Angl. : Crow.

L. 17 po.

Couleur prédominante : noir.

LA Corneille n'a pas besoin d'être présentée : tout le monde connaît au moins de vue ce gros oiseau noir, commun dans toute l'Amérique du Nord, dont la mauvaise réputation est si solidement établie que bien peu de personnes osent se déclarer ses amies. En mars-avril, à son retour du Mexique ou des Etats-Unis, on daigne parfois sourire à cette ombre avant-coureuse du soleil. On tolère aussi que ce cousin pauvre du magnifique Paradisier suive la charrue en mangeant les parasites des cultures. Mais dès les semailles les malédictions commencent à pleuvoir sur lui. Et nous voyons apparaître ces cordées de boîtes de conserve vides qui, en se choquant, réveillent les enfants, et ces épouvantails ridicules, surnommés *peureux de corneilles* dont les noires vagabondes doivent se bien gausser quand elles se trouvent dans le bosquet qui leur sert de chambre à coucher. Comme si le plus intelligent des passereaux pouvait être dupe de ces fantoches immobiles, lui qui, nous espionnant sans cesse pour son compte et celui de ses congénères, sait d'où provient chaque pièce de vêtement qui habille le *peureux* !

Souvent, le cultivateur victime de larcins répétés dans son jardin ou sa basse-cour décide d'en finir. Armé de son fusil il se cache et guette la maraudeuse. Mais celle-ci ne vient pas chercher la gerbe de plomb qui lui est destinée; elle se tient prudemment au large.

On s'étonne de cette sagacité, on dit que la corneille « sent la poudre ». De vrai, elle se sert de ses yeux qui sont vifs et d'un sens d'observation rare chez les bêtes.

Il est à noter toutefois qu'elle n'abuse pas de sa science profonde de nos habitudes et de nos faiblesses pour se moquer de nous. Un instinct sûr l'avertit qu'en fait de malice l'homme est encore le roi de la création. Elle vole le grain et les poussins de son souverain, mais elle respecte sa susceptibilité. Elle use de nous avec discrétion.

Outre la prudence il y a une certaine noblesse dans cette retenue. Car après tout la Corneille ignore notre code civil. Nos coups de fusil ne peuvent être pour elle que des témoignages éclatants de tyrannie. Quand elle prend du grain dans un champ, un oisillon stupide dans la basse-cour, des fruits dans le verger, elle ne fait que se servir à la table du Bon Dieu. A cet acte naturel ne se mêle dans sa tête aucune idée de péché. Elle accepte donc notre hostilité sans la comprendre.

Elle la comprendrait encore moins si elle pouvait lire les rapports qui lui sont consacrés par le Service biologique des Etats-Unis. On y démontre, avec milliers d'analyses d'estomacs à l'appui, que le blé d'Inde qu'elle picore serait probablement mangé par les vers blancs qu'elle gobe en même temps, (il suffit d'ailleurs de créosoter la semence pour l'éloigner); que ses larcins de poussins et de canetons (au sens humain du mot larcin) sont rachetés par la destruction d'une quantité énorme d'insectes nuisibles. Elle aide aussi le Goéland à débarrasser les champs et les grèves de leurs charognes, comme peuvent en témoigner les habitants de l'Ile d'Orléans, tient en échec la gent souris qui abîme les vergers et la gent merle qui, trop nombreuse, causerait de graves dégâts dans les cultures fruitières. En temps d'invasion de sauterelles et de hannetons, ses soeurs et elle constituent la meilleure armée d'auxiliaires. Enfin, elle est utile à l'aviateur au moment d'un atterrisage forcé, car se posant toujours dans le vent elle lui en indique la direction.

La Corneille n'est donc pas aussi noire que son plumage le laisse supposer ou que les marchands de cartouches s'évertuent à le proclamer. De là à lui décerner le prix Montyon il y a de la marge. Selon une légende orientale elle a cessé d'être blanche comme neige le jour où elle a dénoncé Mahomet qui, fuyant ses ennemis, s'était réfugié dans une cave. Perchée sur sa retraite elle se mit à pousser le cri que nous connaissons et que les Arabes traduisent, paraît-il, par *ghar, ghar,* c'est-à-dire cave, cave. Les poursuivants ne tinrent pas compte de l'avis, mais il valut à l'oiseau la malédiction du prophète, la couleur noire de son manteau et peut-être bien ses instincts meurtriers. Il est prouvé, en effet, qu'elle nourrit ses petits d'oeufs et d'oisillons dérobés aux nids des oiseaux chanteurs, ce qui, après le courroux de Mahomet, provoque celui des nombreux amis des victimes. Les chasseurs de gélinottes et de canards ne lui pardonnent pas non plus de tuer dans l'oeuf ce qu'ils voudraient bien fusiller en plumes.

Sans faire son apologie il convient de rappeler ici que la Corneille, si pittoresque qu'elle soit, n'est pas un oiseau d'agrément. Par la taille, la constitution physique et le tempérament c'est un rapace, autrement dit, son rôle est d'empêcher la prolifération d'autres espèces. Et cette fonction elle la remplissait avant que l'homme intervînt dans sa vie et les bêtes ne s'en portaient pas plus mal.

Au fait, c'est peut-être nous qui, en cherchant à la détourner de sa vocation, avons rompu l'équilibre en sa faveur; c'est probablement notre hostilité qui l'a rendue si fine, nos ruses qui l'ont faite plus rusée, notre méchanceté qui l'a engagée à devenir plus méchante. Il est même à peu près certain qu'elle songe surtout à se protéger de nous quand elle place des sentinelles chaque fois qu'elle s'arrête en bande quelque part.

Si tel est le cas nous avons fait du beau travail et nous pouvons être fiers de notre élève. Elle s'est si bien adaptée à tout qu'elle échappe à notre contrôle. Malgré nos cornets englués,

appâtés de blé d'Inde, malgré les hiboux empaillés et l'imitation du cri des jeunes corneilles avec lesquels nous l'attirons
à portée de fusil, malgré la destruction systématique d'un certain nombre de ses lieux de nidification, la Corneille prospère
et se multiplie.

Ce succès dans l'organisation de sa vie et le fait qu'elle peut
converser avec ses congénères et ses petits, exprimer des émo-
tions variées et exécuter des actes commandés par des sons,
marquent déjà la Corneille comme un animal exceptionnel,
doué d'instincts si souples qu'ils approchent des qualités de
notre raison. Il suffit d'ailleurs de la regarder vivre pour se
rendre compte que le hasard ne joue qu'un rôle négligeable
dans la conduite de ses petites affaires :

Les couples, que l'on croit formés pour la vie, commencent
à s'isoler peu après la migration de retour. Dès avril la femelle, d'un noir plus mat que le mâle, commence à couver
quatre ou cinq oeufs verdâtres, tachetés de sombre, dans un nid
grossier fait de branchettes ou sur l'une de ces plateformes
d'été que construisent les écureuils et qu'elle aménage à son
goût. L'intérieur est garni d'herbes, d'écorces et de poils de
vache. Aucun luxe, mais un solide confort et par-dessus tout
une atmosphère de sécurité. Le nid, placé au haut d'un grand
arbre, est difficile d'accès et les parents prennent de multiples
précautions pour n'en pas révéler l'emplacement. Eux si ba-
vards d'habitude l'abordent et le quittent en silence, font des
détours ou l'approchent à la dérobée quand ils se croient épiés.

Au bout de dix-huit jours environ d'affreux poussins noirs
sortent des coquilles et réclament leur pitance. Alors commence le va-et-vient empressé des parents et l'émoi des petits oiseaux. Il a été calculé que la nourriture première des jeunes
corneilles se compose d'oeufs frais dans la proportion de 75% ;
le reste des insectes, petits rongeurs, grains et oisillons, y compris les petits du pluvier Kildir qui niche à ciel ouvert. Et il
en faut une certaine quantité puisque le bébé corneille mange
environ son poids de nourriture chaque jour. C'est pourquoi
avant sa naissance, les parents prennent la peine d'enquêter
sur les ressources alimentaires de leur canton. Le moment
venu ils ne battent pas l'estrade, mais vont tout droit aux nids
et aux provisions repérés. Leur pointage est si bien fait que
certains de leurs voisins, tels que Merles et Pinsons, ne réussis-

sent à élever une nichée qu'après deux ou trois pontes ou après que les jeunes corneilles sont élevées.

Aussi longtemps qu'elles demeurent au nid celles-ci sont bercées de chant de nourrice par leur mère à qui l'amour prête une voix sinon mélodieuse, du moins plus agréable que celle que nous lui connaissons. Puis elles font leur apprentissage de pillards sagaces. En brochettes sur une branche, ébouriffées comme des écolières qui ont fait leur toilette à la hâte, elles semblent écouter une adulte leur croasser une leçon.

L'analogie avec une classe est si frappante qu'on a prétendu qu'une corneille, vieillie sous la menace du fusil et versée dans les traditions de l'espèce, était chargée d'éduquer toute la jeune génération d'une corneillère. La supposition est attrayante, mais il est plus probable que les parents se chargent seuls d'élever leur progéniture et que tout le verbiage qui accompagne l'initiation au vol est fait surtout de réprimandes et d'encouragements.

La sagacité de la Corneille, ses moeurs curieuses et sa sociabilité, lui ont fait attribuer bien d'autres exploits. On a même voulu voir un procès et une exécution capitale dans cette scène, souvent observée, de plusieurs corneilles se précipitant tout à coup sur l'une de leurs soeurs et, autant que nous pouvons nous en rendre compte, la tuant à coups de bec. L'explication de cette conduite étrange chez des êtres apparemment très unis, serait que la victime s'est rendue coupable de quelque crime, de quelque trahison envers la bande, et qu'un tribunal, composé d'anciennes, l'a condamnée à mort.

Comment savoir ? Peut-être sommes-nous vraiment témoins d'une parodie de notre justice humaine; peut-être aussi sommes-nous trompés par le rapprochement qui s'impose entre la robe noire de nos magistrats et la couleur du manteau des justicières. Et il se peut, après tout, que la victime ne soit qu'une malade dont on hâte la fin pour l'empêcher de contaminer les autres. La Corneille est sujette entre autres à une maladie épidémique et mortelle, dont le principal symptôme est une pellicule blanche qui recouvre l'oeil.

Aussi remarquables que la classe et la cour de justice présumées sont les jeux auxquels se livrent les Corneilles, puisque seuls les animaux supérieurs savent jouer. L'un des mieux connus est une sorte de partie de ballon où la sphère de cuir est remplacée par un bâtonnet. L'une des joueuses le prend dans son bec et se sauve, poursuivie par une bande. A un moment donné elle le lâche ou le passe à une autre qui l'attrape au vol, et la poursuite recommence.

Un autre sport est la persécution des rapaces nocturnes, ennemis naturels de l'espèce. La première corneille qui découvre sur son perchoir un Grand-Duc, par exemple, s'empresse d'appeler ses compagnes et toutes le houspillent jusqu'à ce que, las de se faire tirer les plumes et injurier, il les attaque à son tour ou se sauve.

Pendant l'été la Corneille disparaît tout à coup. Une légende veut qu'elle se rende alors aux enfers rapporter au diable ses méfaits et lui remettre un paquet de ses plumes qui étaient réputées autrefois les meilleures pour écrire. Le vrai c'est qu'elle se cache pour muer. Cette transformation accomplie elle reprend son vagabondage. Débarrassée du soin de sa progéniture elle se promène librement, mange du poisson mort sur les grèves, des souris et des sauterelles dans les champs, des fruits à l'orée des bois. A cette époque de l'année elle est beaucoup moins malfaisante qu'au printemps; elle peut même rendre des services au cultivateur. Il est vrai que peu après, quand le blé d'Inde commence à mûrir, elle vient en réclamer sa part; mais cette maraude dure peu. Le temps est proche des *noces de corneilles*, c'est-à-dire de ces rendez-vous d'automne qui précèdent la migration annuelle vers les climats plus doux. Réunies par milliers ces dames se dirigent ensuite vers les plages américaines où elles se reposent avant de retourner aux soins de leur ménage.

C'est là que nous les voyons manger des moules et autres coquillages. Elles les emportent dans leur bec et les laissent tomber sur des rochers pour en briser les coquilles, truc qu'elles auraient appris aux goélands.

Sa riche personnalité, la Corneille la conserve en captivité. On savait déjà, du temps des Romains, qu'elle s'apprivoise quand elle est prise jeune, peut apprendre à compter jusqu'à dix, imiter toutes sortes de cris et de sons et même prononcer des mots en langue humaine. On savait aussi que malgré son air solennel c'était un oiseau fort espiègle que sa vaste curiosité

entraîne à jouer toutes sortes de tours, à dérober par exemple
de menus objets brillants qu'on retrouve ensuite derrière les
cadres ou dans d'autres cachettes ingénieuses.

Mais c'est encore en liberté qu'elle est la plus amusante,
soit qu'elle maraude avec des airs de traître de comédie, soit
qu'elle déjoue nos ruses pour l'approcher. Quant à lui en vouloir de ses méfaits et à tempêter contre elle, c'est bien inutile.
Le plus sage serait de profiter du spectacle curieux qu'elle nous
donne et de suivre l'exemple des Iroquois. Convaincus de lui
devoir les premiers grains de blé d'Inde et de citrouille, ces
Indiens la laissaient libre de butiner dans leurs champs. Ils
s'évitaient ainsi beaucoup de mauvais sang et il est probable
que leurs récoltes n'en souffraient pas plus que les nôtres.

LE MÉNATE BRONZÉ

(Quiscalus quiscula)

Vulg. : **Étourneau.**

Angl. : Crow Blackbird.

L. 12 po.

Couleur prédominante : noir.

LES systématiciens l'ont classé, à côté de l'Oriole et de l'Etourneau des prés, dans la famille des Ictéridés, c'est-à-dire des oiseaux jaunes. Caprice de savants car, de jaune, il n'a que les yeux; tout le reste est noir, avec des reflets mordorés et verts quand le soleil se joue sur les petites facettes terminales des plumes du cou et des épaules.

Pour qui fait abstraction de ces détails et de la longue queue effilée et rigide, c'est une corneille miniature. Malheureusement, l'analogie ne s'arrête pas à la couleur du manteau. Le Ménate est aussi un prédateur, un voleur de nids. A l'instar de la Corneille il nourrit ses petits d'oeufs frais et mange les oisillons qu'il peut attraper. Il ne diffère de son modèle que par la façon de procéder. Aux ruses et à la discrétion de l'autre il oppose des manières de rustre. C'est un brutal qui ne laisse rien ignorer à ses victimes de leur malheur. Quand des couples de Merles américains ou bleus tournent en criant autour de lui, il ne s'agit pas d'une simple querelle de territoire comme il en éclate sans cesse autour des nids : ce sont des parents indignés qui dénoncent un criminel surpris sur le fait.

Lui ne manifeste aucun remords, aucune gêne. S'il se croit de taille il tient tête à l'orage; sinon il s'éloigne avec dédain.

Sans doute est-ce l'amour des siens qui transforme le Ménate en malfaiteur. C'est pour nourrir sa progéniture qu'il force tant d'oiseaux chanteurs à recommencer leur ponte. Le nid de branchettes et d'herbes, maçonné de boue et généralement placé haut dans un conifère, où quatre à six petites horreurs noires crient la faim sur un tapis d'herbes fines, a ses exigences qu'il faut reconnaître. Cette concession faite le Ménate demeure un assez vilain personnage. De plus, il est sans grâce, sans voix et sans finesse, dépourvu même du petit charme canaille qui rend parfois indulgent à l'égard de la Corneille.

Il vaut mieux ne pas parler des sons qui sortent de son gosier rouillé. Des saxophones jouant sans mesure, sans rythme et sans thème peuvent seuls produire un ensemble aussi désagréable qu'un choeur de Ménates.

En vol, aucune souplesse. Il se déplace avec la rigidité d'un avion-jouet. Mais l'habitude de vivre en troupe l'a discipliné. Il garde son rang dans le voilier et manoeuvre avec la précision d'un grenadier allemand.

Ce n'est pas sa seule affinité avec la soldatesque. Voyez-le se promener sur nos pelouses ! Son pas est raide, son port insolent. Il traîne sa queue comme un sabre. Il donne l'impression d'être en pays conquis, de défier les premiers occupants du territoire. De fait, le Merle américain s'écarte de son chemin et le Moineau houspilleur respecte son long bec légèrement incurvé.

Tous ces défauts et même les ravages qu'il cause dans les champs de maïs en épis, le Ménate les rachète en partie par ses

services à l'agriculture. Comme la Corneille, toujours, c'est
un gros mangeur de vers blancs. Souvent, il suit le laboureur
pour se régaler de ces parasites. Il consomme aussi beaucoup de
chenilles et de sauterelles.

Mais comme il est noir, plutôt taciturne et en somme peu
attrayant on tient compte surtout de ces méfaits. Il récolte
plus de coups de fusil que d'applaudissements, ce qui ne l'empêche pas de se multiplier et de mener sans trop nous craindre
sa vie indépendante. Peut-être même rit-il sous cape en son-
geant que l'homme est son meilleur allié, puisqu'il fait la guerre
aux Eperviers et aux Hiboux, ses ennemis naturels.

Le Ménate est un vagabond; il s'arrête où cela lui plaît.
Il niche souvent dans nos parcs et sur les arbres d'ornement
près de nos maisons, mais sa famille élevée il reprend ses courses sans but. Et comme, malgré tout, il est sociable, il s'associe non seulement à ses congénères, mais encore à ses cousins
les Vachers et les Carouges. Tous aimant l'eau nous les
voyons souvent sur les rives des lacs et des rivières ou dans les
marais. C'est là que s'assemblent ces grandes bandes de pillards noirs qui s'abattent à la fin de l'été dans les moissons où
elles causent autant de dégâts en piétinant les tiges de grain
qu'en vidant les épis.

Une fois gavé le Ménate émigre au sud des Etats-Unis.
Son départ est peu remarqué et ne cause que de rares regrets.

En somme, c'est là un de ces êtres qui se tiennent à la frontière du bien et du mal et dont on ne sait trop que penser.
Les uns voient en lui un messager du printemps, un pauvre
diable condamné au deuil perpétuel; d'autres le croient triste et,
bonnes âmes, sympathisent de confiance avec la cause secrète
de son chagrin. Pour les naturalistes il est un acteur au jeu
un peu lourd, mais consciencieux, alors que pour nombre de nos
cultivateurs il mérite de porter le surnom d'avocat « car il est
noir et mange tout »

LA STURNELLE DES PRÉS
L'ÉTOURNEAU DES PRÉS

(Sturnella magna)

Vulg. : **Alouette.**
Angl. : Meadowlark.
L. 10.75 po.
Couleur prédominante : brun

En allant chercher les vaches le petit campagnard fait souvent lever un oiseau brunâtre, au corps élancé, à peu près de la taille du Pic doré. Il ne peut voir sa gorge jaune, ornée d'un scapulaire noir, car la Sturnelle des prés a coutume de tourner le dos aux intrus, mais il l'identifie, grâce à son vol caractéristique, très différent de la gracieuse ondulation du Pic et même des zigzags capricieux de l'Alouette Cornue, les deux espèces avec lesquelles on le confond d'habitude. On dirait que son croupion est chargé, qu'il ne progresse dans l'air qu'à force de rame. La queue étalée, montrant la rectrice blanche qui la borde de chaque côté, le cou tendu dans un effort suprême, les ailes agitées d'un battement rapide, il s'envole lourdement, comme s'il emportait avec lui la pierre où la motte qui lui servait de perchoir. Ses prouesses aériennes, jamais prolongées, tiennent plus de l'oisillon à ses débuts que de l'adulte en pleine puissance d'ailes.

C'est qu'il aime mieux marcher que voler. Pourvu de pattes puissantes il adhère au sol tant qu'il peut. Il ne monte sur les piquets, sur les rochers et quelquefois sur une branche nue que pour mieux faire entendre de sa compagne le chant grêle, très doux, qu'il lui adresse. C'est à terre que la Sturnelle des prés aime, se reproduit, se nourrit, est mangée par ses ennemis.

De bonne heure au printemps le couple, déjà parié, cherche dans la prairie l'endroit propice au nid d'herbes que la femelle construira seule et qu'elle placera à l'abri d'une sorte de dôme végétal afin de le dérober aux yeux perçants des Corneilles et des Ménates. Puis elle y pondra par deux fois quatre à six oeufs blancs finement mouchetés de brun.

La seconde couvée éclôt vers le temps de la fenaison et les oisillons sont souvent tués par les faucheuses ou les râteaux mécaniques. Mauvaise affaire pour le cultivateur qui se prive à son insu de précieux auxiliaires. S'il savait apprécier à leur juste valeur les services de ceux qu'il détruit ainsi il prendrait la peine de repérer les nids de sturnelles avant de commencer à faucher. Cette précaution lui assurerait de précieux concours. Les sturnelles des prés mangent des insectes toute l'année. Friandes de sauterelles elles ont surtout le talent de découvrir les vers blancs dans leur retraite souteraine, comme si leurs yeux dégageaient des rayons X.

D'ailleurs l'espèce peut très bien se passer de l'intervention de l'homme. Quand celui-ci, tenté par la cible facile qu'offre ce mauvais voilier, a voulu le chasser il l'a pratiquement annihilé. Il serait plus sage, maintenant que la Sturnelle des prés est protégée par la loi, de la défendre contre ses ennemis naturels : couleuvres, rongeurs et rapaces, et surtout contre cet effroyable ravageur qu'est le chat domestique. Ces bêtes font déjà trop de mal au bon petit génie des prés dont la seule défense est de s'accroupir par terre et de fondre la couleur de son manteau avec celle du sol qu'il affectionne.

Tant de dangers menacent la jeune Sturnelle que la Nature a cru devoir faire une exception en sa faveur : elle la laisse au nid moins longtemps que la majorité des autres, à peine une huitaine de jours. C'est sans doute grâce à cette précaution que peuvent encore se former chaque automne ces petites bandes, qui de champ en champ tirent gauchement vers les Etats-Unis et se disloquent là-bas pour nous revenir par couples au printemps, avec une chanson au bec.

LE PLUVIER KILDI OU VOCIFÈRE
(Charadrius vociferus)

Angl. : Kildeer Plover.
L. 10.50 po.
Couleurs prédominantes : gris et blanc.

FAUTE d'avoir rencontré assez tôt un savant parrain nombre de nos oiseaux se sont baptisés eux-mêmes. Une onomatopée dérivée de leur cri ou de leur chant leur sert de nom. Le Kildi est de ceux-là et c'est heureux, puisqu'il est ainsi impossible de le confondre avec tant d'autres pluviers qui fréquentent nos grèves et nos marécages. Pour l'identifier il n'est même pas nécessaire de remarquer le ruban noir qu'il porte au cou à la mode de nos grand'mères. Il suffit de traverser le labour ou le pâturage humide où il s'emploie à détruire les insectes nuisibles pour qu'il se hâte de nous crier son nom. Il n'y met sans doute aucune idée de vanité, mais ceux qui le connaissent bien traduisent son *Kildi, kildi, di, di, di,* par : « ne me faites pas de mal, c'est moi, le Kildi. »

Le titre de vocifère dont l'affublent les manuels de classification est une petite vengeance de naturalistes. Le Kildi n'est pas aussi criard, ni aussi coléreux que cette appellation le laisserait supposer. Son cri est plutôt mouillé, avec une pointe de tristesse. Seulement, quand il croit sa famille menacée il s'énerve et par ses cris répétés alerte toute la faune environnante. Si bien qu'il met souvent en fuite l'oiseau ou l'animal qu'on se proposait d'observer. A l'instar du Geai bleu et de l'Ecureuil roux il joue dans la nature un rôle de sentinelle plus zélée que sagace. En voulant trop bien protéger les siens il attire sur lui l'attention ou le courroux.

Le Kildi est un franc migrateur. Il nous quitte à l'automne, hiverne en bande depuis le Nouveau-Jersey et les Bermudes jusqu'au Pérou, et nous revient par couples en mars avec le Merle américain et le Merle bleu.

L'un de ses premiers soucis, quand il a repris possession du champ où il a couvé la saison précédente, est de choisir l'emplacement du nouveau nid. De son vol rapide, élégant, capricieux, il zigzague au-dessus du terrain et note les bons endroits. Il n'est pas difficile : un creux de sol, quelquefois garni d'herbes ou de gravier, recevra les oeufs.

Puis vient la pariade. Au-dessus de la terre tapissée de vert frais que le soleil d'avril éponge lentement les deux oiseaux s'élèvent en spirale. Ils montent dans l'air tiède, disparaissent dans la nue, gagnent, dirait-on, le septième ciel. Au bout de quelques minutes ils reviennent au point de départ, se reposent un moment, puis reprennent leur ascension vertigineuse. Envol nuptial qui, à l'encontre de ce qui se passe chez les abeilles, n'est pas la dernière phase de la pariade, mais son prélude.

La cour proprement dite se fait à terre, élément de prédiclection de l'espèce. Se plaçant vis-à-vis l'un de l'autre les deux amoureux laissent tomber la pointe de leurs ailes, étalent leur queue en éventail, se montrent mutuellement les taches sombres qui ornent leurs côtés, puis se saluent en penchant la tête et en élevant la pointe des ailes. Les anciens danseurs de menuets n'agissaient pas plus galamment.

Mais ce jeu ne peut durer toujours. Un matin apparaît dans le creux du sol un oeuf crème taché de chocolat. Selon une tradition chère à la famille Pluvier il est très gros (1.10 pouce), hors de proportion avec la taille de la pondeuse. Deux jours plus tard un autre est déposé, gros bout en l'air, puis une couple d'autres à intervalles de quarante-huit heures, ce qui paraît être la règle chez les oiseaux.

Les deux parents, toujours liés par une affection mutuelle, se relaient pour les couver comme plus tard pour prendre soin des petits. Pendant que l'un incube l'autre mange et surveille. Si un prédateur paraît (et pour les bêtes l'homme est classé, hélas ! dans cette catégorie) celui qui guette s'envole en avertissant l'autre qui, le moment venu, se sauvera du nid à pied, en rase-mottes, et s'envolera plus loin afin de ne pas révéler la précieuse cachette. Si l'intrus est un animal domestique, vache ou cheval, qui menace d'écraser les oeufs, il lui saute au mufle, le harcèle, l'oblige à changer de direction.

Dans le cas d'un chien ou d'un renard la ruse classique est employée. La femelle (et quelquefois le mâle) court au devant du quadrupède, le laisse approcher, puis tout à coup, poussant des cris plaintifs et traînant de l'aile, elle commence à boitiller et à voleter en donnant tous les signes d'un violent émoi. Presque toujours le vilain est trompé. Alléché par cette proie pantelante il se précipite, ouvre la gueule et... mord le vide. Un petit bond, un effort qu'on dirait suprême, a mis l'invalide hors de portée. L'autre s'acharne, manque toujours sa victime, recommence et, sans qu'il s'en aperçoive est entraîné assez loin du nid pour que cessant de feindre l'oiseau s'envole franchement en poussant un cri qui doit avoir un sens légèrement ironique.

De cet incident il ne faudrait pas conclure que le Kildi échappe à ses ennemis avec un bonheur constant. L'Epervier le force de jour, le Hibou l'enlève de nuit, la Corneille vole ses oeufs et ses petits. L'homme aussi le chassait autrefois. Après avoir presque exterminé l'espèce en notre province il s'aperçut un beau jour que ce gibier ne valait pas son plomb, que ses belles ailes de voyageur au long cours n'emportaient, sous un épais manteau de plumes, qu'un petit corps grêle. Et il accepta en maugréant la loi qui protège le Kildi avec les autres oiseaux migrateurs.

Les petits naissent vigoureux et bien en pattes. Ils ne peuvent voler avant quelques jours, mais dès les premières heures ils hochent leur bout de queue, courent et sont informés des avantages du mimétisme. En cas d'alerte ils s'aplatissent sur le sol et attendent pour bouger le signal rassurant des parents. Ceux-ci ont accoutumé de les mener, alors qu'ils sont à peine sortis de l'oeuf, à une flaque d'eau et de les encourager à barboter, comme si ces oiseaux aquatiques, qui vivent plus à l'intérieur des terres que la majorité de leurs frères pluviers, tenaient à respecter une tradition de famille. A moins qu'il ne s'agisse simplement de les initier de bonne heure aux extrêmes de leur habitat humide et de les amener à chercher jusque dans l'eau les bestioles dont ils s'alimentent. Aux chenilles, coléoptères, araignées, vers, colimaçons, etc., dont le Kildi nous débarrasse, il ajoute ainsi des larves de moustiques, des poux et toutes sortes de parasites de nos animaux domestiques, de nos poissons-gibiers et des mollusques comestibles.

C'est pourquoi, quand vous surprendrez par hasard un Kildi qui dort debout sur une patte, que vous le ferez s'envoler d'un champ ou d'un chemin de terre, et surtout quand il viendra voler autour de votre tête en vous suppliant de laisser son nid tranquille, respectez son émoi : c'est un ami.

Et puis, s'il faut en croire la légende, toucher à son nid est dangereux : le coupable paie son audace d'un bras ou d'une jambe fracturés...

LE MERLE AMÉRICAIN
(Turdus migratorius)

Vulg. : **Grive.**
Angl. : American Robin.
L. 10 po.
Couleurs prédominantes : gris et roux.

UN concours organisé en Amérique du Nord pour déterminer l'oiseau le plus en faveur à la campagne et à la ville verrait sans doute le triomphe du Merle, appelé Litorne du Canada par Buffon et *grive* par les Canadiens. Plusieurs voteraient pour lui à cause de sa personnalité. Sous nos latitudes l'opinion populaire en fait le rival de l'Hirondelle, messagère du printemps. On feint d'oublier qu'il passe parfois l'hiver avec nous pour avoir le plaisir de saluer son arrivée en mars, à l'époque des giboulées.

Il est certain qu'il apporte le premier chant d'oiseau digne de ce nom. Bien que sa voix ne se puisse comparer à celle de

sa cousine, la Grive solitaire, la grande artiste des forêts, les
accents en sont joyeux et même un peu gamins. On l'écoute
avec d'autant plus de plaisir chez nous qu'elle est claire et
forte...

Et puis il est très américain d'allures. Actif du matin au
soir il ne déteste pas être remarqué. Au besoin il monte sur
une clôture, un arbre ou un toit pour vanter sa diligence et faire
admirer ses avantages physiques. Bref, c'est un type sympathique. Précieuse qualité qui rend indulgent à l'endroit de ses
défauts.

Car, autant l'avouer tout de suite, il en a. Ce bon fils,
dont nous parlons généralement au féminin, est brouillon, pas
très intelligent, plutôt malpropre, gourmand, un peu ivrogne,
souvent indiscret et ses accès de colère vont jusqu'au meurtre.
On l'a vu défoncer du bec le crâne de petits oiseaux dont le seul
crime était d'avoir pénétré sur le territoire que le mâle délimite
dès son arrivée au printemps. Cas extrême, dira-t-on et qui
s'explique par l'âpre concurrence entre parents chargés de trouver et de transporter de quoi satisfaire l'appétit de trois ou
quatre petits capables d'ingurgiter en un jour leur poids et demi
de nourriture. Sans doute, mais comment expliquer ces rages
où il se met sans raisons sérieuses ? C'est à croire qu'il cultive la
crise de nerfs comme un sport, qu'il adore se faire peur pour
ensuite faire le brave et avoir l'excuse de bomber sa belle poitrine rousse.

Et comment ne pas juger sotte sa manière de faire la police
puisque, à l'instar des gendarmes trop zélés, il attire l'attention
des malfaiteurs sur le trésor qu'il entend leur cacher ? Ses cris,
ses vols bruyants, ses hochements de queue, toute cette mimique
tragique qu'il répète à la journée servent surtout à renseigner
Corneilles et Ménates. Autant leur dire : « approchez-vous,
mon nid est là ! »

Même absence de jugement en ce qui nous concerne. Le
Merle bâtit son nid à côté de nous parce qu'il nous croit moins
dangereux que d'autres et parce que nous servons d'épouvantails à ses ennemis. Il assemble sous nos yeux la paille et
l'herbe, dont il armera ensuite la boue que la femelle moulera
avec sa poitrine, et comme il place habituellement son nid de
façon à être souvent dérangé il a tout loisir, tant que dure la

construction, de vérifier nos bonnes intentions. Pourtant, lorsque le nid est fini, si nous nous permettons de regarder seulement les quatre jolis oeufs verts qu'il contient, aussitôt il s'of-
fusque et souvent déménage. Bon débarras, pensent les mé-
nagères qui ont à nettoyer les vérandas, lieu de prédilection
des merles entrepreneurs, et qui hésiteraient à lever leur balai
sur la merlette couveuse.

Quand à la gourmandise il a fait ses preuves. On l'a vu
avaler au même repas *quatorze pieds* de vers de terre. Et sa
boulimie ne s'exerce pas uniquement sur ces Lombrics qu'il
semble pouvoir extraire à volonté de nos gazons, ni sur les insectes, presque tous nuisibles, dont il compose ses menus dans
la proportion de quarante-deux pour cent. Il a un faible pour
les mets sucrés. Le premier il goûte nos fraises, nos framboises
et nos cerises. C'est ennuyeux, mais pardonnable : après avoir
dîné d'une foule de bestioles dangereuses il prend son dessert
dans notre jardin. La récompense est méritée. Seulement, à
mesure que l'été progresse, il majore son salaire. Se rappelant
que son régime ordinaire comporte cinquante et un pour cent
de fruits, il se paie de plus en plus largement dans les cultures.
Bien mieux il embauche de l'aide : sa famille d'abord, puis les
petits camarades qu'il rencontre dans la forêt, où il fait sa mue
saisonnière après que ses petits sont élevés. Le jardin trop
hospitalier qui reçoit la visite collective de ces ouvriers de la
onzième heure subit de sérieux dégâts.

L'amour du jus de fruit entraîne le Merle à d'autres excès.
A l'instar de la Grive d'Europe qui se saoule de raisins il s'enivre parfois de baies capiteuses. Mais cela se passe loin, dans
le sud des Etats-Unis. Peut-être nos merles à nous sont-ils
sobres. Il est bien connu en effet que si l'espèce hiverne jusqu'au Guatémala, nombre d'individus ne font souvent que se
remplacer dans leur canton particulier, la migration vers le
sud étant pour chacun un déplacement limité. Ainsi nos Merles
de Québec occuperaient la place de leurs frères des Etats de
New-York et du Vermont, pendant que ceux-ci se promèneraient
en Virginie et ailleurs.

Enfin, dernier reproche, les citadins en villégiature qui aiment faire la grasse matinée trouvent qu'il commence à chanter
bien tôt le matin. Ils préféreraient un réveil qui soit réglé pour
une heure plus urbaine que celle qui marque les premières

lueurs de l'aube. Ils oublient que le Merle erratique applique
à la lettre le proverbe anglais : *the early bird catches the worms.*

Tout cela en somme n'est pas bien grave; on peut toujours
qualifier d'étourderie ce que des esprits revêches baptisent de
noms plus sévères. La sottise du Merle elle-même a ses bons
côtés. En s'exposant aux rapines de ses ennemis il s'oblige à
pondre et à couver deux ou trois fois, nous offrant ainsi le spectacle répété de son industrie et de son dévouement envers les
siens. Elle prolonge le plaisir de l'avoir pour voisin, d'entendre les rapides : *huit ! huit ! huit !* qui constituent son cri d'appel, la mélodie amoureuse qu'il siffle à sa compagne, le chant très
spécial et un peu triste par lequel il annonce, le matin, la pluie
prochaine. Heureux travers qui nous gardent jusqu'à l'automne
cet alerte compagnon qui promène un coucher de soleil sur la
poitrine.

Aurait-il des défauts plus sérieux le Merle se ferait encore pardonner. C'est qu'il est beau avec son manteau gris-
fer, son croupion blanc et cette poitrine qu'il aurait roussie,
selon la légende indienne, en luttant contre l'Oiseau-Tonnerre.
Beau, et bon chanteur, possédant un répertoire varié. Mais il
est davantage encore : il est l'oiseau dont nous avons accepté la
foi. Chaque année il vient quêter protection à notre porte.
Cela est flatteur. Son geste proclame que nous avons bon
coeur et sommes sensibles à la grâce. Son chant endort notre
conscience. En l'écoutant nous nous pardonnons tendrement
notre dureté et notre injustice habituelles envers les bêtes. Il
est la preuve sautillant sous nos yeux que nous pouvons nous
élever jusqu'à la contemplation de la beauté pure.

Peut-être serions-nous moins poétiquement disposés à son
égard si nous connaissions tous la saveur délicate de sa chair.
Mais grâce aux Sociétés Audubon, providences locales des oiseaux, la tentation elle-même est écartée. Les lois sévères qu'elles
ont fait adopter protègent le Merle. Le temps n'est plus où les
braconniers américains, armés de bâtons et de torches, pouvaient
le massacrer sur ses juchoirs favoris et le vendre quelques sous
au marché. Tout au plus nous permettons-nous de recueillir ses
orphelins, de les apprivoiser, puis de les relâcher, car personne
ne voudrait garder en cage ces fils du soleil.

LE VACHER

(Malothrus ater)
Vulg. : **Étourneau.**

Angl. : Cowbird.
L. 8 po.
Couleur prédominante : gris foncé.

SI nous réussissons jamais à établir une sorte de corrélation entre la couleur et le caractère, c'est dans le groupe des Troupiales, surnommé *Etourneaux* que nous puiserons nos meilleurs exemples. Tous ces oiseaux noirs : Ménates, Carouges, Vachers, etc., sont de mœurs douteuses. Bien entendu il s'agit là d'une impression purement humaine et qui nous ramènerait à la doctrine des signatures si nous ne nous hâtions de lui opposer des lois naturelles bien établies, indépendantes de nos conceptions morales ou esthétiques. N'étant pas soumis à la même éthique que nous l'animal est libre d'obéir à ses seuls instincts et il importe peu que ces instincts logent dans une enveloppe plus ou moins jolie.

Avec notre conception bornée des choses de la nature il est tout de même commode d'imposer nos lois aux bêtes et d'associer ce qui nous déplaît en elles à leur apparence extérieure. C'est pourquoi nous sommes assez contents de voir le Vacher couvert d'un manteau noir dévalé et de constater ses vains efforts pour chanter. Mieux vêtu, ayant remplacé sa petite crécelle agaçante par une flûte ou un sifflet, nous hésiterions peut-être à juger sa conduite comme elle le mérite.

Et pourtant elle contrecarre brutalement l'idée que nous nous faisons de l'oiseau. Pour nous cet ancien reptile à qui le Créateur a permis de se couvrir de plumes et de voler est un être de grâce et de sentiment, attirant par sa faiblesse élégante. C'est surtout un modèle de vertus familiales. Nous admirons l'ingéniosité avec laquelle il établit son foyer temporaire, nous nous attendrissons devant l'attachement des parents l'un pour l'autre et à l'endroit de leurs petits. Chez tous les peuples civilisés le nid est le charmant symbole de l'amour maternel et de la sollicitude paternelle.

Le Vacher fait exception à la loi générale. Il ignore ou dédaigne les joies du ménage à deux, de la becquée et de l'éducation des poussins.

Le mâle, le premier à faire son apparition au printemps, délimite son canton comme les autres pères de familles et, bien que sans voix, choisit un perchoir découvert du haut duquel il laisse tomber ses gargouillements. Mais là s'arrête son effort paternel. Quant à la pariade, elle n'est pour lui qu'un geste furtif, accompli au petit bonheur, et sans charme. Ailes entr'ouvertes, cou tendu et bec ouvert il s'approche simplement de la femelle. Il paraît qu'il cherche à lui exprimer ses sentiments en un chant passionné, mais son attitude disgracieuse ferait plutôt croire que sa chanson lui est restée sur le coeur et qu'il est en proie à de violentes nausées.

Triste cour, suivie d'une brusque séparation au bout de quelques jours. Les oeufs fécondés le mâle s'éloigne, sans plus se soucier de sa compagne ou de sa progéniture. Comme ni l'un ni l'autre des parents n'a l'instinct de construire un nid, il appartient à la femelle seule d'assurer la conservation de l'espèce. Elle s'acquitte de ce devoir d'une façon aussi ingénieuse que révoltante : en déchargeant sur d'autres, et généralement sur des mères plus faibles, le poids de sa lourde responsabilité.

En un mot la femelle Vacher est une mère dénaturée qui dépose ses oeufs dans les nids d'autres oiseaux et laisse ces derniers couver, puis élever ses petits. Son unique souci est de trouver des victimes, tâche facile s'il est vrai que 209 espèces différentes sont trompées par elle.

Ce chiffre énorme ne parle pas en faveur de l'intelligence des oiseaux, car l'oeuf du Vacher, blanc tacheté de brun, est beaucoup plus gros que ceux qu'il remplace ou avec lesquels il voisine. De plus, le jeune Vacher éclôt au bout d'une dizaine de jours, ce qui est un délai record chez les oiseaux. Il vient donc au monde plusieurs heures avant les occupants légitimes du nid, de sorte que déjà plus gros qu'eux il ne tarde pas à occuper tout l'espace et à les pousser dehors, c'est-à-dire à une mort certaine. Mais ses parents adoptifs : Vireos, Fauvettes et autres, ne semblent pas se rendre compte du phénomène. Ils couvent l'oeuf insolite saison après saison et s'échinent à nourrir le petit monstre, deux fois plus gros qu'eux, qui non seulement s'approprie toute la nourriture apportée au nid, mais bientôt vole au-devant de son dîner. Et le plus curieux c'est qu'ils se laissent jouer le même tour deux ou trois fois de suite la même année, donnant ainsi raison au psychologue animalier Tinbergen lorsqu'il assure que la becquée chez les oiseaux n'est pas inspirée par l'instinct maternel, mais qu'elle est commandée par le bec ouvert des petits qui déclenche un réflexe chez leurs parents.

Cet encouragement au parasitisme, désastreux pour les oiseaux chanteurs, fait la fortune du Vacher, seul oiseau américain qui copie les moeurs déplorables du Coucou d'Europe. Ayant tourné la sévère loi de la reproduction il a tout loisir de se livrer à l'occupation qui lui a valu son nom, c'est-à-dire de suivre les vaches dans les pâturages et de gober les insectes qu'elles déplacent sous leurs pas. C'est d'ailleurs le seul rôle utile que nous lui connaissions.

L'association de l'oiseau et du ruminant, déjà remarquable en soi, apparaît extraordinaire quand on sait que le Vacher utilise ses lourds associés comme nous les chiens de chasse : pour faire lever le gibier. Lui marche derrière, le bec braqué et tue ce qui lui plaît.

Autrefois il suivait les troupeaux de Bisons et voyageait même sur le dos de ces errants qu'il débarrassait en route de leurs poux. Il se perche aussi quelquefois sur le dos de nos bonnes vaches et leur rend le même service, mais on le voit surtout à terre derrière elles. Elles seules, car il semble dédaigner la compagnie du cheval et celle du mouton. S'il n'est pas fidèle à ses amours, le Vacher l'est à ses amitiés.

Comme tous les membres de son groupe le Vacher est sociable. Il fait partie de ces bandes d'oiseaux qui fréquentent, l'automne, le bord de l'eau et étouffent sous leurs cris rauques le doux murmure des roseaux. Il accompagne les Ménates et les Carouges dans leur migration vers le sud.

L'ALOUETTE CORNUE OU HAUSSECOL
(Eremophila alpestris)

Angl. : Horned Lark.
Couleurs prédominantes : noir, jaune et blanc.

L'ALOUETTE commune, symbole d'espoir chez les Gaulois, inspiratrice des poètes et cible des chasseurs au miroir a été importée aux Etats-Unis et dans l'Ile de Vancouver, mais elle est encore inconnue dans l'Est du Canada. Un autre chantre du soleil et de l'azur, dont l'habitat s'étend à l'Europe et à l'Asie, perpétue dans notre province les moeurs charmantes de la famille. Appelé *Hausse-col* en France, d'après la demi-lune noire que le mâle porte sur la gorge, *Alouette cornue* aux Etats-Unis à cause des deux minces pinceaux de plumes noires qui se dressent aussi sur la tête du mâle pour marquer la surprise et la passion, il a reçu des savants le nom d'*Alouette* des montagnes sans doute parce qu'il se tient surtout en plaine, de préférence dans les champs incultes...

Le nom importe peu. Il suffit que cet oiseau, de la grosseur d'un Merle bleu, soit une véritable alouette, caractérisée par le

prolongement en éperon du doigt postérieur et qu'il nous fasse
entendre la cascade de ses notes fraîches comme la rosée, gaies
comme le matin.

C'est le mâle — toujours — qui est l'artiste de la famille et
il n'est jamais plus inspiré qu'au temps des amours. C'est pour
la compagne accroupie sur le nid d'herbe et de mousse posé
sur le sol qu'il prodigue son talent et vide son coeur. Pendant
qu'elle couve sur leur matelas d'herbes et de plumes trois à
cinq oeufs verdâtres tachetés de brun il s'agite et la distrait
de son chant.

D'abord il s'envole, entreprend quelques circuits capricieux
autour du nid, comme pour tâter l'air. En même temps il
commence une chanson simple, très douce. Tout à coup, il
rencontre le courant ascendant qu'il cherchait. Il signale cette
découverte d'une note joyeuse, plus forte. Puis il suit la spirale du vent, s'élève d'un palier, marque une brève pause en
planant, égrène des notes fraîches, s'élance de nouveau en tournant, monte plus haut, toujours plus haut. La griserie des
hauteurs, bien connue des pilotes d'avion, s'empare de lui.
Ajoutée à sa joie de vivre, d'aimer, d'être oiseau, elle le transporte. Son chant l'étouffe, son coeur déborde. Il veut crier
son bonheur à l'infini. Nous l'avons perdu de vue là-haut, il
s'est déjà fondu dans la lumière, que nous entendons encore
parfois se choquer ses notes cristallines et précipitées. Le naturaliste Forbush a écrit « qu'il chante alors à la porte du paradis »...

Mais il n'entre pas. Soit fatigue, soit attachement à sa
compagne, soit amour des glissades aériennes il revient en
dessinant de longues spirales, toujours extasié, le bec plein de
mélodie. Ce n'est que lorsqu'il a achevé son hymne d'amour
qu'il aperçoit la terre. Alors, fermant brusquement les ailes,
il se laisse tomber comme une pierre...

Au moment de s'écraser il se ressaisit, étend les ailes,
freine, vire avec grâce et atterrit près du nid où la femelle ru-
mine ses espoirs.

Ce transport d'allégresse, ce tour de ciel musical, le Hausse-
col le répète plusieurs fois, car si, à l'encontre de la pluralité des
oiseaux, il n'a qu'une mue par année, en août, en revanche il
aide à élever deux ou trois familles par saison. Aussi longtemps

que sa compagne veut couver, lui la régale de ses acrobaties et de son chant et, se prenant au jeu, s'enivre de ses propres efforts pour lui plaire.

L'étonnant est qu'il daigne redescendre. Après ces ascensions répétées, ces exercices de chant qui développent ses poumons, on l'imagine assez bien se perdant pour de bon dans l'espace, errant dans le bleu jusqu'au trépas et mourant en plein ciel sur un dernier cri d'amour.

La réalité n'est pas moins belle. Comme tous les poètes le Hausse-col adore la compagnie des nuages, mais il préfère sentir la terre sous ses ergots. Il sait bien qu'on ne vit pas de rayons de soleil ni de gorgées d'azur. Après ses fugues magnifiques il revient sagement au sol.

A terre il veille sur ses petits, aide leur mère à les nourrir d'insectes qui pour nous sont nuisibles, puis il mène sa famille picorer, jusque sur la neige, les graines de mauvaises herbes. Son régime est aux quatre cinquièmes végétarien.

Il est si bien adapté à son milieu, il est si foncièrement terrien qu'il ne sautille pas à terre comme la plupart des oiseaux arboricoles : il marche.

Mais il peut aussi courir et lorsqu'un danger le menace il sait se cacher dans les touffes d'herbe, se dérober derrière les mottes, se confondre avec le milieu. C'est pourquoi il hésite toujours à s'envoler. Si nous l'y forçons il fait un tour et revient se poser derrière nous.

Pour d'autres raisons, plus louables encore, la femelle couveuse ne quitte ses oeufs qu'au tout dernier moment. Lorsque ses petits sont à la veille d'éclore, il faut presque marcher dessus pour la faire partir. Après ses absences, forcées ou non, elle prend la précaution d'atterrir à une certaine distance de son nid et de l'aborder à pied, en faisant un détour et en se cachant.

L'Alouette cornue est grégaire. Une fois les petits éduqués les familles se réunissent en bande et dorment à terre de compagnie. Volontiers elles s'associent aux Bruants et aux Juncos qui partagent leurs goûts. Ils nous quittent ensemble à la fin de l'automne et vont hiverner sur les plages ou les champs des Etats-Unis.

Les classificateurs reconnaissent plusieurs sous-espèces d'A-
louettes cornues, mais la plus commune est l'espèce type *(A-
lauda alpestris)* qui nous arrive en mars et établit souvent
son premier nid sur un tas de neige. On la distingue de l'Etourneau des prés aux rectrices blanches que porte ce dernier, au
vol différent et surtout à la façon de chanter. L'Etourneau
des prés se perche pour vocaliser, mais l'Alouette cornue, de
taille plus petite, ne s'appuie que sur son amour pour remplir
le ciel de mélodie.

PLECTROPHANE DES NEIGES
(Plectrophenax nivalis)

Vulg. : **Oiseau de neige, Oiseau blanc.**
Angl. : Snow Bunting, Snow Bird.
L. 6.88 po.
Couleurs prédominantes : gris, blanc et rouille.

CELUI-CI est plutôt un passant : il demeure trop loin pour être appelé voisin. Oiseau des régions circumpolaires, la toundra est son domaine. C'est tout là-haut, en compagnie des Esquimaux, des Isatis, des Boeufs musqués et des Oies sauvages qu'il niche et vit une grande partie de l'année. Les rives désertiques de la baie James marquent neuf mois durant, la limite sud de son aire de distribution en Amérique du Nord.

La majorité d'entre nous ne peuvent donc voir le mâle, en costume de noces blanc, avec épaulettes noires, monter en chantant comme l'Alouette hausse-col, ni l'entendre égrener sa tendre chanson au-dessus du nid de mousse et d'herbe, garni de plumes de gibier d'eau, où la femelle couve ses oeufs de nombre et de couleur variables. Rares aussi sont les naturalistes qui ont été témoins de la construction de ce nid posé sur le sol, de la naissance en juin des petits et du va-et-vient de leurs parents qui les nourrissent d'insectes. Et comme le père ne chante que pour défendre sa solitude contre les intrus et faire prendre patience à la couveuse, nous pouvons nous demander si le P. Charlevoix l'a vraiment entendu qui écrit : — « C'est l'oiseau canadien qui chante le mieux, ne le cédant guère au Rossignol de France. » Sans doute l'excellent historien a-t-il confondu le Plectrophane des neiges avec le Pinson chanteur.

Pour que ce visiteur arctique, vêtu d'hiver, vienne jusqu'à nous il faut que la toundra s'endorme sous sa couverture de glace et que la tempête commence sa ronde meurtrière dans la plaine infinie. Encore ne sommes-nous jamais sûrs de sa venue ni de la date de son arrivée. Certaines années les chasseurs de canards le voient voleter dans les roseaux près de leur bastion, d'autres fois il suit la neige.

Le froid ne lui fait pas peur. Il peut dormir au vent quand le thermomètre marque 40° F sous zéro. Aussi longtemps que son domaine natal offre quelques ressources alimentaires il s'y cramponne. Il faut que la faim le chasse. Quand la couche de graisse qui l'arrondit, le réchauffe et lui vaut la dangereuse appellation d'Ortolan d'Amérique menace de fondre, il s'associe à des parents et à des amis, puis la bande ainsi formée met le cap au Sud.

A ce moment les Plectrophanes des neiges ont troqué leur uniforme blanc et noir, unique chez nos animaux, pour un costume de voyage rouille, blanc et noir. Ces couleurs et leur vol tourbillonnant leur donnent l'apparence de feuilles mortes balayées par le vent.

Simple illusion d'optique, car malgré leurs allures fantaisistes ces petits granivores respectent un ordre de marche et font preuve d'excellentes manières à table. Ils ne se battent pas autour des plats qui pendent aux tiges sèches des plantes sauvages. Quand ceux de l'arrière trouvent la place nette devant eux ils passent par-dessus la tête des premiers et picorent un dîner frais. Rassasiés ils s'envolent en remerciant d'un petit cri.

Mais d'autres migrateurs, aussi bons glaneurs, ont passé par la même route. C'est pourquoi nous les voyons souvent près de nos granges et de nos maisons, ramassant les miettes de pain ou les graines de mil. Ignorant la malice de l'homme, puisqu'ils habitent presque toute l'année un désert, ils se laissent approcher à distance raisonnable.

Autrefois, on profitait de cette innocence pour leur tendre des pièges grossiers où ils tombaient invariablement. Et nos marchés étalaient des brochettes d'« oiseaux blancs » dont nos grand-mères faisaient des pâtés délicieux. La loi qui les protège désormais ennuie les gourmets, mais elle doit réjouir l'homme des champs dont le travail est simplifié par ces mangeurs de mauvaises graines.

Outre son utilité, le Plectrophane des neiges est un symbole de courage. Il nous visite quand tous nos autres petits amis ailés ont disparu vers le sud. Sa présence seule est un défi à la mauvaise saison. Comment ne pas accepter le long hiver canadien avec un sourire résigné quand nous voyons cette boule de duvet, ce souffle de vie animale, jouer dans la poudrerie et gazouiller joyeusement sous un ciel de plomb.

LE MOINEAU
(Passer domesticus)

Angl. : Sparrow.
Couleur prédominante : brun

LE plus commun de nos petits oiseaux n'est pas de chez nous. Il est originaire d'Europe. C'est le Pierrot de Paris, le House Sparrow de Londres, le vulgaire moineau de partout.

Son histoire, riche d'enseignements, est celle de beaucoup d'immigrés. Transplantés de l'Ancien au Nouveau-Monde ils emploient des qualités aiguisées par la concurrence et la persécution à réussir là où la vie est plus facile et la tolérance plus grande. Venus à fond de cale pour accomplir d'humbles besognes ils oublient bientôt leur rôle effacé et leurs goûts modestes. Ils se faufilent aux places qu'on croyait réservées, bousculent les indigènes, les chassent même de chez eux. Et quand, las de leurs empiètements, on veut réagir, bloquer leur progrès, l'on s'aperçoit qu'il est trop tard : ils ont organisé leur conquête, ils sont les plus forts.

Ce faux pinson a été importé aux Etats-Unis en 1850 et en Ontario en 1873, avec mission de combattre les chenilles qui s'attaquent aux arbres d'ornement. Il s'acquitte assez bien de cette tâche et continue d'apporter à ses petits, qui sont insectivores les premiers jours, force insectes nuisibles, mais son gros bec dur le dénonce : c'est un granivore. On aurait dû s'en aviser avant de le faire venir. Ce prétendu auxiliaire n'est au fond qu'un parasite de l'homme, au même titre que la souris. Il mange notre pain en herbe. Et comme il est d'une fécondité effrayante et s'adapte à tout, il s'est vite répandu sur le continent. Allez donc contenir un oiseau capable d'élever six couvées en un an ! Les biologistes ont calculé que la progéniture d'un seul couple pouvait, dans des conditions idéales, atteindre en dix ans le chiffre fabuleux de 275,716,983,698....

Ceux qui firent venir le Moineau étaient sans doute des citadins séduits par ce petit être frétillant, robuste, débrouillard, qui traîne dans la rue ses fréquentes amours et ses non moins fréquentes querelles de famille, résiste aux hivers les plus rigoureux et se contente en apparence (en apparence seulement !) du grain mal digéré par les chevaux et de la semence ailée du pissenlit. Aujourd'hui encore l'homme des villes admire ce souffle de vie qui évolue avec art au milieu des tramways et des autos. Il est secrètement flatté de le voir copier ses allures délurées et partager son asphalte. Cette houppette à poussière lui est sympathique. Le propriétaire d'immeuble peste bien contre le petit locataire effronté qui paie son terme en monnaie de singe, souille façades et porches de ses excréments, bloque les prises d'air et les renvois d'eau avec les matériaux de fortune dont il construit ses nids grossiers; mais il permet que son épouse le nourrisse des miettes de sa table. Le promeneur sait par expérience que cet oiseau trop familier n'hésite pas à vider ses intestins sur un chapeau ou un paletot neuf; pourtant, il s'arrête, amusé, devant le père moineau qui, les ailes entrouvertes, fait une cour brutale à sa compagne ou, perché sur un toit, imite le Moucherolle en capturant des insectes au vol. Il aime le regarder baigner dans les fontaines publiques et s'écartera même de sa route pour ramasser un petit audacieux qui a quitté trop tôt un nid encombré.

En somme le citadin est excusable de témoigner de l'amitié à ce voisin qui lui fait peu de mal, lui tient compagnie quand les autres oiseaux s'en vont au sud, et dans le cas de l'habitant des quartiers pauvres, représente presque toute la gent ailée.

Il lui est permis de déplorer que la diffusion de l'automobile tende à réduire le nombre des moineaux dans les grands centres, puisqu'il ne voit ces bestioles que sous leur aspect aimable et ignore d'habitude les plaisirs plus délicats dont ces faux amis le privent.

Mais les cultivateurs et les amateurs d'oiseaux ne sont pas dupes des moeurs bourgeoises du Moineau pendant quelques semaines. Ils le savent moins sédentaire qu'il ne le paraît, ils n'ignorent pas que, sitôt sa première nichée élevée dans la sécurité relative des villes, il déménage avec sa famille à la campagne où il donne libre cours à ses mauvais instincts. Gare aux greniers et aux cultures qu'il adopte ! Il mange les bourgeons des arbres fruitiers, picore les semis, pille les arbustes à fruits, prélève un lourd tribut sur les champs de céréales.

Ah ! le gentil gamin qui jouait dans la rue a beaucoup changé. Plus de gais pépiements, plus de démonstrations sentimentales qui attendrissent. C'est un petit malfaiteur qui s'emploie le plus discrètement possible à piller sans être pris. Et si le cultivateur n'a recours au grain empoisonné ou aux pièges à bascule, s'il persécute, comme il arrive souvent, les petits rapaces qui sont les ennemis naturels du Moineau, il subit de lourdes pertes.

Le pis est qu'il n'y a pas de moyen sûr d'éloigner ces pique-assiettes. Les architectes modernes dessinent bien des édifices sans corniches et sans retraits, les conservateurs de monuments publics aux Etats-Unis font braquer des projecteurs puissants sur les perchoirs à Moineaux, mais outre que les cultivateurs ne peuvent avoir recours à ces procédés, il faut plus que des parois lisses, une lumière aveuglante et même des coups de fusil, pour dégoûter ces immigrants adroits et débrouillards. Chassés d'un coin ils ne tardent pas à s'établir dans un autre. Ils trouvent toujours une fente, un tuyau, un trou où loger. Sans compter qu'ils n'hésitent jamais à s'emparer des nids d'hirondelles et des maisonnettes que l'homme réserve à ses petits amis chanteurs.

Ce dernier empiètement est peut-être le pire de tous, celui qui nous cause le plus grand tort. En prenant la place des oiseaux indigènes le Moineau cause un double dommage : il nous prive des services d'oiseaux utiles et nous impose ses propres déprédations. Cette substitution lui est d'autant plus facile que, n'émigrant pas, il est toujours là quand les autres reviennent de leurs vacances dans le sud. Souvent il occupe les nids qu'ils ont bâtis l'année précédente ou réclame un canton qui leur conviendrait. Et comme ce spoliateur piaille comme une victime et fait bande pour mieux défendre ce qui ne lui appartient pas, les timides oiseaux que nous aimons, nos propres oiseaux, fuient les environs de nos demeures envahis par l'étranger bruyant et polisson.

LE JUNCO ARDOISÉ
(Junco hyemalis)
Vulg. : **La Nonnette.**
Angl. : Slate-Colored Junco.
L. 6.27 po.
Couleurs prédominantes : gris et blanc

D'APRÈS leur menu ordinaire tous les oiseaux peuvent être classés en cinq catégories : les carnivores, les piscivores, les fructivores, les insectivores et les granivores. Indirectement les trois premières sont utiles, mais c'est dans les deux autres que nous comptons le plus d'amis et d'auxiliaires. A ceux qui ont mission de tenir en échec les parasites de nos champs, bestioles et mauvaises herbes, doivent aller notre préférence. Et si ceux-là nous témoignent assez de confiance et recherchent notre société, nous leur devons plus que du respect : de l'affection.

C'est le cas du Junco, appelé Nonnette dans plusieurs campagnes à cause de l'analogie qu'offre son uniforme, en deux teintes de gris, avec le costume d'un ordre religieux. Gros mangeur de mauvaises graines, c'est un petit être sociable qui fréquente volontiers nos basses-cours et les alentours de nos maisons. Si nous l'aidons à se sustenter quand la neige est tombée il renonce même à la migration annuelle qui le conduit jusqu'au Mexique et demeure avec nous tout l'hiver à picorer nos offrandes de blé ou de graines de tournesol et à animer nos mornes paysages blancs de ses petits bonds énergiques. A l'instar de la Mésange il ne craint pas l'homme et il accepte avec reconnaissance les miettes de sa table.

Modeste de manière et d'habit il passe trop souvent inaperçu. Ses *tsip, tsip* très doux ne sont guère compris que de la femelle qui couve 4 à 5 oeufs blancs ou bleuâtres dans un nid d'herbe, sur ou près du sol. Mais qui se donne la peine de le chercher ne manque point de le rencontrer près du bois cordé, près des tas de branches, devant les granges et les poulaillers. L'été il fréquente aussi les *brûlés* et les champs de *bleuets;* mais l'automne le ramène dans les guérets, sur le bord des routes et près des habitations. A ce moment il est parfois associé au Pinson à gorge blanche et aux Bruants. En temps ordinaire il vit plutôt en petites colonies indépendantes.

Oiseau nordique le Junco fréquente, pendant la belle saison, le sommet de nos montagnes. Il est très commun dans les Laurentides. On le voit souvent près des camps de chasseurs. Ceux-ci ignorent ou feignent d'ignorer son nom français d'*Ortolan jacobin.* Heureusement, car sans la loi protectrice ce nom le désignerait d'office pour la casserole. Quelquefois, il suit la Gélinotte dans la forêt et recueille les minuscules graines que ce gallinacé découvre en grattant la terre.

En novembre et en décembre les Juncos fréquentent encore nos champs. Pour se protéger de la bise glacée ils ont l'habitude de se creuser des abris dans les meules de foin ou de blé d'Inde.

Puis, quand le menu quotidien devient par trop maigre, ils s'envolent de nuit vers des climats plus hospitaliers, quitte à nous revenir de bonne heure le printemps suivant pour nous faire entendre leur humble petite chansonnette d'amour et nous montrer le bel uniforme neuf que le divin pourvoyeur des oiseaux leur a taillé dans un de nos ciels d'automne.

LE PINSON VESPÉRAL
(Poecetes gramuneus)
Vulg. : **Rossignol des champs.**
Angl. : Vesper Sparrow.
L. 5.75 po.
Couleur prédominante : brun

MATIN et soir ce modeste oiseau au gosier de cristal égrène sur les champs et les fossés, son milieu préféré, deux ou trois notes claires, mélodieuses, qui s'achèvent en un trille doux. Chant des heures sereines, quand la nature fait une pause dans son grand effort de croissance; bonjour de l'aube et adieu du crépuscule. Souvent on entend le chanteur sans le voir, bien qu'il se perche de temps à autre afin de se faire mieux entendre de sa compagne et de ses rivaux.

A l'instar de la plupart des pinsons le Pinson vespéral est vêtu de brun, couleur protectrice des terriens. Son habit, commun aux deux sexes et aux jeunes, s'agrémente seulement d'épaulettes rousses et de rectrices blanches en bordure de la queue.

Sa petite vie utile et harmonieuse est en grande partie cachée. C'est dans l'herbe que le mâle, ailes et queue étalées, courtise la femelle en la poursuivant ou en paradant devant elle. Parfois, grisé de printemps (peut-être aussi pour narguer d'autres mâles moins favorisés) il s'élève et crie sa joie, mais il redescend bien vite dans l'herbe hospitalière retrouver son épouse ou se battre avec un autre mâle trop entreprenant.

C'est aussi dans l'herbe, dans un creux du sol ou une touffe de foin, que le couple construit en une ou deux semaines un nid d'herbes, de radicelles et de poils de vache, dans lequel sont pondus quatre ou cinq oeufs de couleur variable, mais où le brun domine. Quelquefois, un champ de céréales ou l'abri des feuilles de la pomme de terre sont recherchés pour l'une ou l'autre des deux couvés habituelles, mais c'est toujours dans une forêt miniature que les petits Pinsons, couvés tour à tour par leurs deux parents, naissent au bout d'une quinzaine de jours. Nourris au nid pendant deux semaines environ ils cherchent ensuite à terre leur nourriture qui consiste largement en insectes nuisibles et en graines de mauvaises herbes.

Au printemps on rencontre aussi le Pinson vespéral dans les guérêts et l'été sur les routes de terre où il aime prendre des bains de poussière. Quelquefois il se hasarde sur le toit des maisons, véritable aventure pour ce timide plus à l'aise dans le dédale des herbes et des fleurs sauvages que sur un piédestal bien en vue des petits oiseaux de proie. Il a déjà assez d'ennemis sans en chercher d'autres. Son nid est ouvert aux couleuvres et aux rongeurs, sans parler des chats. Maintes femelles périssent sur leurs oeufs qu'elles protègent de leur corps contre les orages et les prédateurs.

Ce Pinson est aussi une victime favorite du Vacher, l'oiseau parasite et dénaturé qui fait couver ses oeufs par les autres.

L'automne venu ces voisins discrets se réunissent en bandes et vont hiverner aux Etats-Unis. Depuis plusieurs semaines ils ne chantent plus et leur départ passe inaperçu. Le cultivateur les regarde s'envoler sans une pensée de reconnaissance pour ces auxiliaires qui, au péril de leur vie, font tout l'été la police de ses champs. Mais celui qui connaît le Pinson vespéral, qui a entendu son chant limpide, songe avec mélancolie que cet artiste des champs ne reviendra qu'en mars ou avril suivant.

LE TROGLODYTE FAMILIER
(Troglodytes aedon)
Vulg. : **Roitelet.**
Angl. : House Wren.
L. 5 po.
Couleur prédominante : brun

UNE énergie qui n'arrive pas à se dépenser entièrement caractérise cet oiseau brun à queue retroussée, pygmée impudent et gracieux doué d'une voix joyeuse « comme une source libérée » (Balchan).

Dès son retour, en avril-mai, le mâle (il précède la femelle de quelques jours) réclame son ancien territoire ou s'en taille un nouveau. Il proclame ses titres d'un ton clair, puissant, tout à fait disproportionné à sa taille. Au besoin il met en fuite un timide Merle bleu qui s'est arrêté sur *son* terrain ou bat une Fauvette assez audacieuse pour s'installer dans les environs. Puis, dans le domaine délimité, il commence des nids qu'il n'achève pas, histoire d'occuper ses loisirs et d'éloigner des voisins possibles.

Tout en procédant à cette opération illégale avec un entrain endiablé, il chante. Autrement dit, il annonce au monde ailé qu'il va bientôt se mettre en ménage, qu'il est roitelet chez lui et que rivaux et envieux feraient sagement de le laisser tranquille. Mais ce défi est si mélodieux que nous croyons à un chant d'amour et nous attendrissons devant sa beauté.

La femelle arrivée il s'empresse auprès d'elle, lui fait faire le tour du propriétaire, l'invite à choisir le site qui lui convient. Invitation superflue puisque dans le ménage Troglodyte c'est madame qui, symboliquement, porte la culotte. C'est elle qui choisit l'emplacement du nid, sans s'occuper de son mari en extase devant chacune de ses propres constructions; c'est elle qui achève le nid commencé à moins que, dédaignant les goûts de son époux, elle n'en construise un autre de toutes pièces dans un poteau creux, une cavité de rocher, un tas de bois, partout où sa fantaisie le lui suggère. On l'a vue couver ses oeufs rosés et tachetés, dont le nombre varie de cinq à douze, dans une vieille chaussure, une boîte de conserve et même dans la poche d'un pantalon, oublié sur une corde à linge et qu'on lui prêta pendant toute l'incubation.

Habitant autrefois dans les rochers et les tas de pierres (d'où le nom savant qui l'écrase) le Troglodyte aime nicher dans un endroit bien abrité, ce qui explique sa prédilection pour les maisons d'oiseaux, surtout quand leur ouverture n'a que trois quarts de pouce de haut et est assez large (3 pouces environ) pour qu'il puisse entrer facilement ses matériaux. Si près de notre demeure que nous placions cette maison Madame Troglodyte la choisit de préférence et la meuble promptement de bâtonnets et d'herbes. Le nid construit elle le tapisse de plumes, de cocons d'insectes, etc., l'entretient en parfait état de propreté et en défend l'accès avec fracas. Vraie petite mégère, quand elle ne gourmande pas son luron de mari, elle insulte tout ce qui passe dans son champ visuel. Incapable de chanter comme le mâle elle se rattrape en éclats coléreux, gronderies trillées et protestations flûtées. Gare à l'intrus qui, croyant l'endroit vacant, vient se poser près du nid; la petite furie se précipite sur lui, le chasse en l'injuriant et le poursuit de ses malédictions. Et par précaution elle barricade sa porte avec des brindilles.

La maison idéale ne doit pas être trop éloignée du sol, à 8 ou 12 pieds environ. Le Troglodyte n'est pas très bon voilier. Ce défaut remonte, d'après une légende, au concours organisé par les oiseaux pour déterminer lequel d'entre eux pouvait monter le plus haut. L'aigle vint réclamer le prix, mais au moment où on allait lui accorder, le Troglodyte, qui s'était caché dans ses plumes, prétendit être le vainqueur. Le jury lui donna raison, alors l'aigle le frappa du bout de son aile puissante et depuis, le petit recordman de la hauteur, le premier des rats de cale, se tient à proximité du sol.

L'incubation dure environ quatorze jours. Deux semaines d'attente pour un nerveux, c'est long ! Quand il n'est pas employé à couver les oeufs, le mâle chante, se bat avec les voisins, se dispute avec sa compagne, explore son territoire et construit de faux nids. Après l'éclosion des petits, la tâche de les nourrir pendant deux autres semaines l'occupe davantage (on l'a vu apporter de la nourriture jusqu'à soixante-dix fois en une heure), mais pas assez cependant pour satisfaire son extrême activité. Alors il prend quelquefois une seconde compagne pendant que la première couve, et aide à fonder un second foyer, quitte à se faire ramener à son premier domicile par madame Troglodyte qui, pour le punir de son escapade, le charge d'élever seul sa couvée pendant qu'elle s'établit avec un autre mâle. Dans d'autres cas deux femelles acceptent les assiduités du même mâle qui les aide à tour de rôle et chante pour les deux. Et il y a probablement d'autres combinaisons, car les Troglodytes peuvent avoir jusqu'à trois pontes par année.

Malgré ce surcroît de besogne notre bec fourré partout trouve encore le temps de satisfaire à sa manie de construction et de se mêler des affaires des voisins. Il est si curieux et si indiscret de sa nature qu'on n'est pas étonné d'apprendre par la légende qu'il était présent dans l'étable lors de la naissance de l'Enfant Jésus.

Ses qualités font oublier ces gros défauts et la mauvaise habitude qu'il a d'éloigner les Fauvettes en brisant leurs oeufs et de chasser les Merles bleus. C'est un parent modèle, un prodigieux destructeur d'insectes nuisibles et un chanteur fort agréable.

Il faut aussi tenir compte qu'il a quitté l'orée des bois, son ancien habitat, pour venir vivre à nos côtés. Il y retourne en août avec ses petits, mais jusque-là il occupe gaiement chaque moment d'attention que nous lui consacrons.

Comme la timidité est son moindre défaut, il n'est pas besoin de lunette d'approche pour surveiller ses mouvements. Il étale sa vie sous nos yeux, près du tas de bois, dans l'arbre qui touche à nos fenêtre, au milieu du jardin de rocailles. Il nous insulte du haut de notre propre toit, puis vient manger à nos pieds.

Autrefois très abondants les Troglodytes ont été graduellement chassés par les Moineaux. Ceux-ci sont incapables, individuellement, d'avoir raison de ce pygmée batailleur, mais en bande ils le repoussent et s'emparent de ses nids. L'avenir paraissait donc sombre pour le gentil petit couple, quand l'automobile vint diminuer le nombre de ses ennemis. En quelques années les Troglodytes reprirent beaucoup du terrain perdu. Hélas ! Une autre vague d'immigrants, celle des Sansonnets, vint les balayer. En ce moment leur nombre tend à diminuer. A nous de leur accorder la protection qu'ils viennent solliciter à notre porte, de leur construire les maisonnettes qu'ils aiment et peuvent défendre, si nous voulons voir revenir chaque printemps, du sud des Etats-Unis et du Mexique, ces petits êtres belliqueux et amusants qui charment nos heures claires tout en nettoyant notre jardin de ses parasites.

CEUX QUI GRIMPENT

LE PIC DORÉ
(Corlaptes auratus)
Vulg. : **Pivert**
Angl. : Golden Flicker.
L. 12 po.
Couleurs prédominantes : beige, jaune et noir.

LES coups de bec sonores, d'abord espacés, puis précipités et roulants par lesquels le pic doré mâle, reconnaissable à ses moustaches noires, annonce ses intentions matrimoniales, sont aussi caractéristiques du printemps de Québec que le choeur amoureux des grenouilles et les tapis floraux de nos érablières. On les entend résonner d'un peu partout, venant d'arbres creux ou de granges abandonnées,, car le Pic doré est très répandu et j'imagine que Geais, Hiboux et Hirondelles des bois l'écoutent avec encore plus de plaisir que nous, eux qui comptent sur l'infatigable charpentier pour creuser leur nid.

Ces joyeux roulements, ponctués des éclats d'un rire jovial et prolongé, sont les préliminaires d'une cour soignée.

Tous les oiseaux mâles expriment leur émotion amoureuse de quelque façon : vol nuptial, parade ou danse; mais dans la plupart des cas nous assistons à une sorte de foire aux vanités, à l'étalage d'une beauté temporaire à laquelle la femelle finit par céder, plutôt par lassitude, dirait-on, que par ravissement. Il n'en est pas tout à fait ainsi chez les Pics dorés. Certes, ils font parade de leur huppe rouge, de leurs ailes doublées de satin jaune et de leur croupion blanc, mais sans trop d'assurance. Ce sont des amoureux timides. Ils abordent les femelles de loin, se cachent derrière les branches pour les observer sur leur perchoir, s'approchent en hésitant. Tout en étalant leurs charmes naturels ils poussent de petits cris suppliants, saluent fréquemment et reculent au moindre signe défavorable.

Cette cérémonie se répète plusieurs jours de suite, car la femelle est hautaine et fait son choix sans précipitation. Souvent, elle chasse le mâle qui prétend lui faire la cour de trop près.

Puis un beau jour elle se décide à regarder un soupirant. Celui-ci redouble de grâces et de courbettes. Alors la femelle lui signifie son acceptation en retournant ses saluts. Quelquefois, quand plusieurs mâles l'entourent, elle fixe son choix d'un coup de bec. Les autres acceptent le jugement et s'envolent sans mot dire.

Il arrive que les rôles soient renversés, que ce soient deux ou trois femelles qui courtisent l'un des rares mâles du canton. Dans ce cas elles rivalisent de prévenances à son égard, se disputent la meilleure place devant lui, étalent leurs couleurs plus ternes, imitent les révérences que leurs compagnons leur adressent en temps normal. Bref, elles font de leur mieux pour triompher de l'indifférence que, par une sorte de justice immanente, le mâle affiche à son tour.

Une fois appariés deux jeunes oiseaux choisissent un arbre creux, un poteau de téléphone, un remblai ou une falaise et y creusent un trou en se relayant. Un vieux couple retourne à son trou de la saison précédente et, au besoin, en chasse le locataire qui s'y est installé. Puis sur un nid de copeaux la femelle pond, en quinze jours, de 6 à 8 oeufs blancs que les deux époux couvent à tour de rôle. Celui qui est libre nourrit l'autre sur le nid.

Si les premiers oeufs sont volés ou détruits, d'autres sont déposés. On cite le cas d'une femelle que l'on fit pondre 71 fois en 73 jours en ne lui laissant qu'un seul oeuf chaque jour. Evidemment, le calcul n'est pas le fort des Pics.

Les petits naissent nus. Pendant deux semaines environ ils demeurent au nid où ils sont nourris principalement d'une sorte de fricassée de fourmis qui leur est servie par régurgitation. Ils y resteraient sans doute plus longtemps, mais leurs parents les forcent à s'en aller. Ce n'est pas dureté de coeur, mais loi de nature : l'espèce émigre tôt en septembre. Laissés à eux-mêmes les petits s'entraînent mieux pour le voyage qui conduit leur espèce dans le pays voisin et en particulier sur les plages où ils se nourrissent de fruits sauvages.

Armé en pic, c'est-à-dire pourvu de griffes acérées, d'un cou musclé, d'un bec fort et tranchant, d'une langue longue, cylindrique et gluante qui se termine par une sorte de petit balai de poils, le Pic doré pourrait s'attaquer comme ses congénères aux insectes foreurs, atteindre les plus enfoncés sous l'écorce. Mais il est plus terrestre que les autres et se nourrit surtout de fourmis. Il peut en manger plusieurs milliers par jour. Il tient ainsi en échec une espèce prolifique, énergique et têtue qui a la mauvaise habitude d'élever des insectes suceurs, comme nous le faisons des vaches, et de les transporter sur les plantes de nos jardins, dont ils transforment la sève en un liquide sucré, fort apprécié des demoiselles noires à la taille pincée.

Le Pic doré mange aussi des fruits. Il est friand de glands et se régale volontiers de graines d'*Herbe à puce*. C'est même le seul reproche qu'on puisse lui adresser que de répandre une plante vénéneuse. Par ailleurs il n'a que de bonnes habitudes.

Le vol du Pic doré est ondulé. A l'instar du Chardonneret il rame un peu en ligne droite, puis ferme à demi les ailes et se laisse glisser en perdant de la hauteur.

Méfiant de son naturel le bel oiseau se laisse rarement approcher; mais comme il habite souvent près de nos maisons de campagne voire même de nos maisons de ville, et comme il a un cri typique et un habit attrayant, il est beaucoup remarqué.

Comme tous les Pics notre *Pivert* personnifiait, chez nos Indiens, le tonnerre. Ce qui ne l'empêche pas de se cacher quand le phénomène qu'il symbolise commence à se faire entendre.

LE PIC MINEUR
(Dendrocopos pubescens)
Vulg. : **Pic bois à tête rouge.**
Angl. : Downy Woodpecker.
L. 6.83 po.
Couleurs prédominantes : blanc et noir.

S'IL est vrai que Picus, fils de Saturne, après avoir été transformé en pic-bois par Circé dont il avait dédaigné l'amour, est allé se réfugier au fond des forêts, le Pic mineur ne le compte pas parmi ses ascendants. Le plus petit de nos pics il est aussi le moins timide, celui qui se laisse le mieux approcher. Et comme il est commun, et a une prédilection marquée pour les vieux vergers et les maisons d'oiseaux, nous voyons souvent son petit béret rouge tourner autour des pommiers cariés et des sorbiers. Il habite même à nos côtés, dans une branche ou un poteau creux, et personne ne peut souhaiter voisin plus serviable. Il travaille tout le jour à débarrasser nos arbres des insectes qui les rongent et les font mourir. Pour tout salaire il prend quelques pétales de fleur, quelques gouttes de sève d'érable ou de pommier, mais à l'encontre du suceur de sève, son cousin, il ne fait jamais tort aux arbres.

Privé de voix il est devenu instrumentiste. Il joue de plusieurs instruments sonores : branche creuse, bardeau décloué, poteau du téléphone et morceaux de fer blanc. De chacun il tire avec son bec robuste des sons variés et qui semblent le ravir en proportion de leur volume grandissant. Délassement d'un bon ouvrier en toute saison et expression d'amour au temps des nids. C'est sur son tambour de fortune que le mâle exprime de loin à sa future compagne les sentiments tendres qui l'animent.

Il les lui communique aussi de près, par de multiples courbettes et révérences; et comme il est souvent dérangé par d'autres mâles qui se placent en tiers entre lui et sa belle, sa cour dure plusieurs jours. Mais une fois agréé il se remet à la besogne sans tarder. Avec sa nouvelle épouse il creuse, généralement à la face inférieure d'une branche, le trou qui recevra les 4 à 6 oeufs que les deux sexes couvent à tour de rôle. Ces oeufs, qui reposent sur un lit de poussière de bois derrière des parois solides n'ont pas besoin de couleur protectrice; ils sont tout blancs selon la tradition pic.

Les petits une fois éclos les deux parents les nourrissent par régurgitation d'une bouillie d'insectes et quand ils sont assez forts ils les amènent avec eux visiter les arbres et leur apprennent à gagner leur vie. Puis la famille se disperse. Pendant quelques semaines chaque Pic mineur mène une vie indépendante.

Pourtant, l'espèce est sociable. L'hiver venu les individus qui ne se déplacent pas plus au sud de leur habitat recherchent dans la forêt la compagnie des Mésanges et des Sittelles. Ensemble ils s'emploient à débarrasser les arbres de leurs parasites.

Le Pic mineur est particulièrement habile et consciencieux. Non seulement il sait repérer au son les insectes foreurs, mais il a aussi accoutumé de se retourner en grimpant et de s'assurer qu'aucun gibier ne s'enfuie dans son dos. S'il aperçoit un de ces fuyards il descend à reculons et le happe prestement. Comme il peut visiter environ deux cents arbres en trois heures on imagine les services qu'il rend.

Cette ardeur au travail ou, si l'on veut, à s'escrimer de la fourchette, faisait l'admiration de nos Peaux-Rouges. Ils avaient surnommé le Pic, *le petit charpentier* et portaient sa tête desséchée à leur cou avec l'espoir d'hériter de ses vertus. Ils n'en faisaient pas, comme certains peuples européens, le modèle des pères de famille et le patron des petits enfants, mais ils le considéraient comme un phénomène de robustesse et s'amusaient de le voir prendre des bains de neige en plein janvier.

Outre son utilité comme destructeur d'insectes le Pic mineur a un rôle important dans la nature. C'est lui qui fournit d'appartements chauds et sûrs une foule de jeunes couples. Se creusant un nid chaque printemps, un abri au début de l'hiver et d'autres quand le besoin s'en fait sentir, il abandonne derrière lui nombre de logis commodes dont s'emparent les Merles bleus, les Troglodytes et autres oiseaux pourvus de becs moins solides.

Cet ami du pomiculteur, dont le régime alimentaire se compose d'insectes nuisibles dans la proportion des trois quarts, ressemble beaucoup à son congénère le Pic chevelu *(Dryobates villosus)*, qui habite la forêt. Tous deux portent un manteau noir et blanc. On les distingue par la taille, plus forte chez le Pic chevelu, et par les plumes extérieures de la queue qui sont blanches, rayées de noir chez le mineur et toutes blanches chez le chevelu.

Tous deux sont utiles, mais comme le Pic mineur nous témoigne une plus grande confiance et s'accommode mieux de notre voisinage dangereux, c'est à lui naturellement que va notre plus grande sympathie.

LA SITTELLE À POITRINE BLANCHE
(Sitta carolinensis)
Vulg. : **Crin-Crin.**
Angl. : Nuthatch.
L. 6.07 po.
Couleurs prédominantes : gris-bleu et blanc.

IL y a une certaine analogie entre les troncs de plusieurs vieux arbres et nos grands centres urbains. Les bandes d'écorce, avec leurs écailles imbriquées, y jouent le rôle des rangées de maisons et les sillons qui les séparent, celui des rues. Et ces maisons sont habitées, ces rues sont parcourues. Un peuple nombreux, souvent cosmopolite, habite ces villes verticales.

Mais à l'encontre des agglomérations d'hommes où, malgré tout, l'élément honnête et sain forme l'immense majorité, la population de ces cités végétales est d'une qualité plus que douteuse. On y rencontre une foule d'êtres qui, par analogie toujours, sont plus bandits que citoyens. Non contents de gruger leur propre maison ils s'emploient de leur mieux à ruiner leur cité, à sucer sa vie goutte à goutte, à la démolir morceau

CHARMANTS VOISINS

par morceau. Livrés au caprice de leur formidable appétit les insectes qui s'installent par myriades sur les arbres auraient tôt fait de les faire mourir.

La Providence, qui veut la conservation des espèces par l'équilibre entre les individus, a prévu le cas. Les arbres ont une police. Elle se recrute surtout parmi les Pics, les Grimpereaux, les Fauvettes et les Sittelles.

Chacun de ces agents a reçu, pour accomplir sa tâche, des talents particuliers. Au Pic, armé en force, les descentes brutales dans les repaires profonds; à l'agile Grimpereau les menus malfaiteurs qui se cachent dans les coins sombres et à la Sittelle, mieux douée, la police générale.

Vêtue d'un uniforme gris-bleu, ouvert pour montrer le gilet gris pâle, et d'un casque noir, la Sittelle commence à patrouiller son secteur de bonne heure au printemps. C'est le meilleur moment pour l'observer puisque l'été elle habite la forêt (où elle élève sa famille et où ses services sont spécialement requis) et que l'automne elle ne fait que passer à côté de nos maisons, en route vers d'autres bosquets ou vers le sud.

Les petits cris d'encouragement qu'elle pousse en travaillant, cris que l'on a comparés à un rire sans joie, sont caractéristiques. Le sang-froid avec lequel elle se pose sur l'homme immobile appuyé à l'arbre qu'elle travaille est un autre trait curieux. Mais elle est surtout remarquable par son talent d'acrobate.

Le Pic ceinture un tronc à distance variable et dégringole parfois un étage pour saisir un insecte qui s'efforce de lui échapper; le Grimpereau mène sa continuelle ascension en spirale de façon à surveiller son territoire sous différents angles; la Sittelle fait tout cela et bien davantage. Bien que privée de l'appui d'une longue queue et de l'aide d'un cou qui s'allonge, ne possédant comme moyens d'action que les huit griffes de ses pattes et son petit bec robuste, elle accomplit des exploits. C'est un jeu pour elle que de marcher au plafond, c'est-à-dire de parcourir la face inférieure d'une branche horizontale ou de descendre une paroi verticale, la tête la première comme un écureuil. Et c'est pourquoi elle accomplit de si bonne besogne, visitant les recoins et cueillant des proies qui ont échappé à ses émules.

Sa méthode favorite consiste à chasser de haut en bas, c'est-à-dire dans le sens inverse de celui suivi par les Pics et les Grimpereaux. En passant, elle jette un regard scrutateur dans chaque repaire d'insectes, attrape les maladroits qui s'attardent sur leur porte, démolit à coups de bec les abris où des familles de larves et de pucerons attendent de commettre leurs déprédations. Elle mange aussi, surtout en hiver, quantité d'oeufs d'insectes. Son seul tort est de ne pas toujours distinguer entre les bons et les mauvais citoyens, de les croquer tous indifféremment. Mais c'est là son seul défaut. Parmi les oiseaux c'est un modèle de bonne tenue.

Un couple de Sittelles vit ensemble et en bonne intelligence presque toute l'année. Après la pariade les deux époux choisissent un trou d'arbre ou en creusent un dans un tronc carié. Puis la femelle le garnit de plumes, de feuilles et de poils qu'elle trouve dans les buissons ou prélève sur les mammifères morts.

Pendant qu'elle couve ses six à neuf oeufs qui, contrairement à l'usage chez les habitants des fûts, ne sont pas tout blancs, mais crème tachetés de brun, le mâle la nourrit à domicile. Il lui épluche même des noix qu'il lui passe par l'ouverture du nid après l'avoir appelée. Il la défend aussi contre les intrus.

Les petits sont nourris d'insectes, mais la nourriture des adultes est à demi végétale. Ils mangent force noix et graines de mauvaises herbes. Leur nom anglais, *Nuthatch,* vient justement de leur habitude de coincer une noix dans une fente d'écorce et d'en briser la coquille à coups de bec.

Les Sittelles font des provisions à l'automne. Elles établissent des *caches* de glands, faînes, etc., sous des écorces, dans des poteaux creux, des fentes de granges, etc. Sans doute ont-elles l'intention d'y avoir recours pendant la mauvaise saison, mais il arrive souvent que Geais et Ecureuils repèrent ces magasins et les pillent sans vergogne.

Quand les petits sont en état de voler, leurs parents les emmènent en promenade dans la forêt et leur apprennent le métier. Si l'hiver est doux ils restent parfois unis et couchent ensemble dans un trou, mais d'habitude ils se séparent avant de commencer une courte migration vers le sud.

Lorsque les Sittelles en voyage passent par nos villes nous pouvons les retenir près de nous en leur offrant des morceaux de suif et des grains divers. En retour elles nettoient les arbres d'ornement des oeufs et larves d'insectes qui s'y trouvent et, suprême remerciement, se donnent elles-mêmes en spectacle.

Une autre espèce de Sittelle *(Sitta canadensis)* habite la Province de Québec. Elle se distingue de celle-ci par une poitrine rousse et une taille inférieure. Malheureusement, nous la voyons moins souvent que l'autre, car elle préfère la grande forêt au voisinage de nos habitations. Ses moeurs sont les mêmes que celles de sa cousine avec cette différence qu'elle travaille sur les conifères plutôt que sur les feuillus. Quand elle émigre elle le fait aussi plus tôt, vers la fin de l'été.

Ni l'une ni l'autre ne sont musiciennes, bien que leur chant d'amour, faible et court, ne soit pas désagréable. Ce qu'il faut admirer chez elles ce sont leurs gestes adroits et leur ardeur à nous servir.

LE GRIMPEREAU BRUN
(Certhia familiaris)
Angl. : Brown Creeper.
L. 5.66 po.
Couleur prédominante : brun.

COMME son nom l'indique cet oiselet est un grimpeur. Sa vie est une ascension continuelle et sa devise pourrait être : « *excelsior* ». A peine a-t-il fini d'explorer un arbre, de plonger son bec mince, incurvé, dans tous les recoins, qu'il s'envole ou plutôt se laisse tomber au pied d'un autre fût et recommence son ascension en spirale. A l'instar des Pics il grimpe en s'appuyant sur sa queue, terminée aussi par deux pointes aiguës.

Il procède avec une méthode et une minutie admirables, quoique pénibles à observer. On dirait vraiment qu'il a reçu l'ordre de débarrasser les troncs de tous les insectes minuscules qui peuvent l'endommager et que les autres oiseaux dédaignent ou ne voient pas; qu'une sanction terrible le guette s'il laisse échapper un seul puceron et que le temps lui est mesuré pour accomplir une tâche sans fin. Et l'on ne s'étonne pas de l'entendre pousser, en travaillant, de plaintifs *sip, sip*.

A dire le vrai, le Grimpereau est doué d'un robuste appétit et comme les proies qu'on lui abandonne ou qu'il peut traquer sont infimes, il n'a pas trop d'une journée pour recueillir les ingrédients de son dîner. Et puis, si la continuelle gymnastique à laquelle il se livre ne l'amuse pas elle ne doit pas lui coûter beaucoup d'efforts, armé comme il l'est de petites griffes bien prenantes et d'un bec passe-partout.

Chose certaine il ne boude pas à la besogne. Ayant déjà pour terrain de chasse tous les arbres de sa forêt natale, il trouve le temps de policer ceux qui ombragent nos maisons ou se dressent isolés dans les champs. C'est même cette excellente habitude qui nous vaut sa visite et le plaisir d'observer ce tâcheron que notre présence, à distance respectueuse, ne semble pas distraire de ses recherches absorbantes.

Sans doute vaut-il mieux ne pas chercher à le regarder de trop près. L'oeil qui découvre des proies microscopiques dans les replis de l'écorce n'a aucune peine à déceler notre présence. Mais le Grimpereau ne fuit pas immédiatement à l'approche de l'homme. Il sait que la nature, tenant compte de son métier, l'a habillé d'une couleur terne qui se confond avec celle des arbres. Quand un danger à deux jambes semble le menacer il commence par mettre entre ce danger et sa petite personne l'épaisseur du tronc. Il tourne avec celui qui tourne, s'arrête et le guette du coin de l'oeil quand il s'arrête. Ce n'est que dans les cas désespérés qu'il s'envole sur un autre arbre, prêt à recommencer ce petit jeu de cache-cache.

Le procédé est commun aux oiseaux grimpeurs. Qui n'a vu un Pic mineur oublier sa gravité empesée et tourner comme un gymnaste autour d'une branche avec l'espoir d'échapper au petit rapace qui le poursuit ? Seulement, le Grimpereau fait tout avec élégance : au Pic les coups de ciseau brutaux, les besognes bruyantes et l'énervement quand le danger est imminent; lui, pince silencieusement ses victimes avec un bec capable de démêler fil à fil un cocon de mite et contrôle ses nerfs. Il calcule ses distances et les fractions de seconde protectrices.

Ce magnifique aplomb, cette souple défense nous fait soupçonner l'importance que le Créateur attache au rôle du Grimpereau dans l'harmonie universelle. Cet oisillon est mieux armé pour la vie que nombre d'oiseaux agressifs. Aussi élève-

t-il sans trop de peine, généralement sous un morceau d'écorce
qui tient par un seul bout, quatre ou six petits que la mère
couve dans un nid de mousses et de plumes, et vagabonde-t-il
à ciel ouvert sans payer un trop lourd tribut aux prédateurs.

Son pire ennemi est le verglas, verre interposé entre la proie
et le chasseur et qui fait mourir ce dernier du supplice de Tan-
tale. Quand il ne se produit pas le Grimpereau se rit des doigts
glacés de l'hiver; comme à ceux de l'homme il leur échappe en
décrivant son éternelle spirale autour des fûts. C'est pourquoi
il n'émigre pas à proprement parler. Il lui arrive parfois de
rejoindre plus au sud ses congénères éparpillés depuis le centre
de notre province jusqu'au Golfe du Mexique, mais en règle générale il affronte notre rude climat avec les Sittelles et les Pics.
N'a-t-on pas besoin de lui toute l'année pour faire la police
des troncs ?

CEUX QUI SE PERCHENT

del.   +²/40.

LE GRAND DUC
(Bubo virginianus)
Vulg. : **Chat-huant, Chaouin, Guibou, Hibou.**
Angl. : Great Horned Owl.
L. 22 po.
Couleurs prédominantes : gris et blanc.

TOUTE légende étant fondée sur un être, un événement ou un phénomène naturel, celle du Loup-Garou a probablement été inspirée par notre Grand Duc. C'est lui le voleur de tuques, le spectre qui attaque par derrière et laisse parfois des marques sanglantes; c'est son hululement qui fait encore trembler les voyageurs dont la raison est embrouillée par les fumées de l'alcool.

Il se prête aux affabulations : enfant de la nuit et amoureux du clair de lune il est mêlé au mystère de la mort et à la superstition des fantômes. Les Grecs et les Romains le redoutaient et pour se le rendre propice l'avaient voué à Minerve, déesse de la sagesse. Le moyen-âge vit en lui, entre autres choses, la fille d'un tisserand condamnée, pour ses péchés, à tisser le

clair de lune en fil d'argent, et certains de nos Indiens lui firent
incarner l'âme de leurs plus mauvais sujets.

Chez nous, sa mauvaise réputation remonte au commen-
cement du régime français. Les Iroquois ayant l'habitude de
se rallier en imitant son cri, les premiers colons de la Laurentie
eurent vite fait d'associer l'oiseau à leurs cruels ennemis et de
les confondre dans leur rancune. La légende du loup-garou
serait née ensuite chez les bûcherons qui, non contents de dra-
matiser et d'embellir certains agissements de l'oiseau, en auraient fait un être surnaturel. Honneur dont le Grand Duc
se soucie moins que d'un bon repas, mais qui le marque déjà
comme une bête digne d'intérêt, un voisin hors de l'ordinaire.

Malheureusement, ce voisin est peu sociable. Qu'il niche
dans nos savanes, sur le bord de nos lacs ou de nos grands cours
d'eau sous le nom de *Bubo virginianus* (l'espèce américaine type), que chassé par la faim de son habitat plus nordique sa sous-
espèce nous visite en hiver sous le nom de *Bubo virginianus su-
barticus* ou de *Bubo virginianus heterocnis* (variété labrado-
rienne), nos relations ne sont jamais cordiales. Très doux lorsqu'il a été capturé jeune et s'attachant à son maître, il est, à
l'état de nature, solitaire, farouche et sanguinaire. Il n'approche
des fermes que pour massacrer les hôtes de la basse-cour ou
enlever le chat domestique. Ses goûts le retiennent d'habitude
dans la grande forêt qui abrite ses amours fidèles, sa contemplation de la lune et ses chasses impitoyables.

C'est pourquoi, malgré sa diffusion assez générale dans notre
province, nous ne le voyons pas plus souvent. La nuit complice
le protège et, hors la période de nidification, l'approcher de jour
est un exploit, même quand sa présence à un endroit nous est
signalée par le vacarme d'une bande de corneilles en train de
le tourmenter. Deux sens le défendent bien des importuns :
son ouïe, si fine qu'elle perçoit à plus de cent pieds le cri d'une
souris, et sa vue qui est beaucoup meilleure à la lumière du
jour qu'on ne le croit généralement. Elle est assez bonne pour
remarquer de loin un homme armé et repérer dans l'azur le point
noir imperceptible à nos yeux, que fait un rapace diurne.

Trouver son nid est relativement facile. Les Hiboux ayant
l'habitude de regurgiter, sous forme de boulettes, les parties
indigestes de leurs aliments telles que poils, plumes, os, etc.,

un tas de ces déchets marque l'emplacement de leur demeure passagère. Celle-ci est un arbre creux et plus souvent le nid abandonné d'un aigle, d'un épervier ou d'une corneille, que la femelle garnit des dépouilles de ses victimes ou des plumes qu'elle s'arrache de la poitrine. Ce nid serait ensuite détruit par les parents afin de forcer les petits à s'envoler.

Toucher les deux gros oeufs blancs ou les deux petits qui en sortent, après une incubation par les deux sexes qui dure environ vingt-huit jours, est une opération plus délicate. Les naturalistes qui la tentent sont fréquemment attaqués et blessés avant de la réussir, la femelle, d'une taille supérieure à celle du mâle et pesant parfois une livre et plus, se montrant spécialement courageuse. Et quand le couple réunit ses serres et sa férocité, l'escalade devient une entreprise périlleuse.

Une autre façon de voir le Grand Duc de près est d'imiter son hululement : *hou, hou-hou-hou, hou,* ou encore celui d'un autre hibou. Notre grand rapace nocturne, roi incontesté de son domaine puisqu'il vainc l'Aigle en combat singulier, déteste les braconniers. Il ne tolère pas de congénère sur son territoire de chasse. De plus, il est cannibale. Il dévore volontiers les autres membres de la famille des Strigidés qu'il peut attraper, politesse que ses cousins ne peuvent lui rendre à cause de sa taille supérieure, bien qu'il soit lui-même comestible. Le P. Charlevoix assure que, de son temps, nombre de gens préféraient sa chair à celle de la plus juteuse poularde.

On fait aussi revenir un Hibou qui survole en imitant avec sa bouche posée sur le dos de la main le cri de la souris des champs. Mais la seule vue d'un individu en cage, la connaissance de certains caractères physiques, de quelques traits de moeurs excitent déjà la curiosité à l'endroit de celui qu'on a surnommé le *tigre ailé*, moins à cause des stries sombres qui rayent son plumage blanc que sa férocité.

Au repos, le Grand Duc ressemble assez à une grosse boule cotonneuse. Il paraît plutôt inoffensif, malgré ses cornes, c'est-à-dire les aigrettes de plumes qui prolongent ses oreilles et permettent de le distinguer du Harfang *(Nyctea nyctea)* [1] qui en est privé. Ses gros yeux ronds et jaunes expriment

---

(1) Autre grand rapace nordique qui nous visite parfois en hiver.

alors l'indifférence ou l'ennui. Fausse apparence, car dès que
la colère ou la faim l'excitent, sa véritable nature apparaît : son
regard haineux devient d'une fixité gênante, son bec crochu
claque sèchement et de son gosier sort un sifflement qui rappelle l'origine reptilienne des oiseaux.

Sa cruauté est toujours latente. Qu'il défende ses petits,
sa propre vie ou son territoire, qu'il chasse le lièvre ou un rapace diurne, elle se manifeste franchement. Car, il faut lui
rendre cette justice, le Grand Duc n'est ni hypocrite, ni lâche :
ses attaques sont brutales, mais directes. A sa façon il est aussi
noble que le gentleman qui refuse de tirer le gibier à plume
qui piète; lorsqu'il découvre des dindes ou des poules instal-
lées pour la nuit en dehors du poulailler il ne les tue pas sur
leur perchoir : il se pose à côté d'elles, les bouscule, les fait
tomber et les attrape au vol...

Il est d'autant plus terrible que le Créateur l'a doué d'un
vol silencieux et d'une poigne sûre. Les plumes qui recouvrent
ses ailes sont si serrées que l'air n'y peut pénétrer. Il tombe
donc sur le dos de ses victimes sans que le sifflement habituel
des ailes les avertisse de son approche.

Mais s'il apporte la mort sur des ailes ouatées il la donne
avec des griffes d'acier qui, une fois agrippées, ne lâchent plus.
Le serrement est pour ainsi dire automatique, le tendon qui
commande les doigts et les ongles étant monté sur l'os de la
jambe comme un cable sur une poulie. Lorsque l'oiseau se pose
sur une branche ou sur une proie il plie les jambes, ce qui a pour
effet d'étirer le tendon et de contracter les serres. Celles-ci se
ferment avec force sur l'objet saisi et demeurent serrées jusqu'à
ce que les pattes reprennent la position verticale. Grâce à
ce jeu musculaire le Grand Duc dort confortablement sur son
perchoir et peut s'attaquer à des proies plus lourdes que lui, la
seule contraction des serres permettant de porter aux victimes
des coups mortels.

Si à ces dons nous ajoutons une grande vigueur, une énergie
farouche et une remarquable habileté à naviguer, de jour comme
de nuit, à travers la ramure, nous nous trouvons en présence
d'un outil chasseur d'une effroyable efficacité. De fait, le Grand
Duc prélève tribut sur toutes les classes d'animaux. Il attaque
aussi bien le porc-épic que la Corneille, se saisit avec une égale

facilité de la Couleuvre qui glisse dans l'herbe et du Brochet qui nage à fleur d'eau. Tout ce qui bouge la nuit attire son attention, tout objet blanc qui se meut semble déclencher ses serres. Ce serait l'explication des enlèvements de coiffure sur les têtes d'hommes et de ses fréquentes captures de mouffettes. Le signal de danger que porte sur son dos notre *bête puante* et qui tient la plupart des autres carnivores à distance, n'est qu'un excellent point de repère pour le Grand Duc. Il en profite même si souvent que les individus tués au fusil sont généralement parfumés au gaz méphitique, odeur qui ne semble nullement les gêner de leur vivant.

Toutefois, il ne faut pas croire que le Grand Duc ne tue que des bêtes utiles. Il est certain qu'un poulailler exposé à ses attaques, une couvée de gélinottes ou un parc d'élevage de rats musqués recevra sa visite tant qu'il y aura des victimes ou qu'on n'aura pas mis fin à ses déprédations par un coup de fusil. Mais la plupart du temps il se nourrit de rats et de souris qu'il avale tout ronds, la tête la première. (Il déchiquète les grosses proies en commençant par la tête et en retroussant leur peau très adroitement). Le P. Charlevoix a écrit : « qu'il capture des mulots auxquels il casse les pattes et qu'il engraisse pour les nuits de disette »... Le Grand Duc a dû renoncer à ce genre d'élevage, s'il l'a jamais pratiqué, car si l'on trouve parfois plusieurs douzaines de rongeurs dans son nid, tous sont morts...

Et puis le Grand Duc, si acharné soit-il à capturer des Corneilles et des Ecureuils sur leur nid, ou à survoler plaines et sous-bois, ne chasse pas sans arrêt; il prend le temps de courtiser celle qu'il a choisie pour toute la vie et à laquelle il demeure attaché même après la mort, témoins les mâles qui montent la garde à côté du cadavre en décomposition de leur compagne. Cette cour nocturne consiste surtout en contorsions, courbettes, battements d'ailes, hochements de tête et monologue précipité en langue hibou, le mâle cherchant peutêtre à faire oublier, par son empressement, le désavantage physique que lui donne une taille inférieure.

Une fois pariés les deux oiseaux demeurent unis tout en conservant leur indépendance. Ils se rencontrent souvent, s'aident mutuellement à construire le nid et à élever les petits, mais chacun chasse de son côté.

La femelle couve tôt au printemps, quelquefois sous la neige. Les jeunes hiboux naissent les yeux ouverts et sont féroces dès les premiers jours. Soumis à un régime exclusivement carné ils apprennent vite à tenir la nourriture dans les serres et à la déchirer du bec, leurs parents facilitant cette opération en leur servant les proies par morceaux.

Dès que les petits sont en état de se débrouiller les adultes les chassent et reprennent leur vie solitaire qui, encore une fois, n'est pas seulement militante ou familiale. Elle est marquée aussi de longues séances d'immobilité ou, si l'on veut, de longues contemplations.

On a remarqué que le Grand Duc a une prédilection pour la lune, que cet oeil brillant de la nuit semble le fasciner. Selon plusieurs naturalistes il la chante comme d'autres oiseaux louent le soleil. Les cris épouvantables, semblables aux hurlements d'une femme qu'on égorge, qu'il pousse parfois, expriment, paraît-il, sa sauvage admiration.

Si tel est le cas le Grand Duc possède un nouveau titre à notre intérêt. Outre qu'il est le plus puissant et le plus sanguinaire de nos rapaces, la terreur des petits animaux et de beaucoup d'hommes, il a sa place marquée au royaume exclusif de la poésie. Il est la bête amoureuse d'un astre.

LE GEAI GRIS
(Perisoreus canadensis)
Angl. : Whisky Jack, Meat Eater, Camp Robber.
Vulg. **Pie.**
L. 13 po.
Couleur prédominante : gris.

IL faut que notre réputation de cruauté soit bien établie chez les animaux ayant de fréquents contacts avec nous pour que nous les mettions si facilement en fuite. Lorsque de malheureuses expériences ne les ont pas désabusés à notre endroit, lorsqu'ils nous connaissent peu ou mal, ils partagent volontiers notre vie.

C'est le cas du Geai gris, le plus hardi ou, si l'on veut, le plus confiant de nos oiseaux. Compagnon du farouche orignal dans les solitudes boisées du nord il devrait, selon la conception courante, se montrer aussi timide que lui, et fuir à notre approche. Il n'en est rien. Qu'un colon s'installe dans une clairière, qu'un campeur allume un feu près d'un portage ou qu'un chasseur tire un coup de fusil, et il surgit aussitôt, curieux et ébouriffé. Du haut d'un arbre voisin il surveille d'un oeil gourmand les préparatifs du repas ou le dépeçage d'un gibier. Il sait qu'il aura sa part, qu'il la dérobera au besoin, mais il s'impatiente sur son perchoir, descend de branche en branche en sautant à pattes jointes, trompe l'attente en imitant le coassement de la Grenouille ou le trille coléreux de l'Ecureuil roux. Les provisions déballées ou le gibier écorché il est presque toujours le premier à y goûter.

Une superstition protège le Geai impudent. Elle veut que sa mort porte malchance à son auteur. De même que les anciens Algonquins ne le laissaient pas entrer dans leur cabane de peur d'attraper mal à la tête, nos trappeurs se gardent de le tuer par crainte de rentrer bredouilles. Ils feignent d'ignorer ses larcins et se contentent de le maudire quand il vole les amorces des pièges qu'ils posent ou dénonce leur approche au gibier poursuivi.

Ils l'encouragent souvent en tournant le dos au bon moment, car au fond ils aiment cette bête immangeable qui ne fuit pas comme les autres et s'apprivoise jusqu'à venir manger dans la main. Elle est souvent leur seule distraction pendant des semaines d'errance. Alors ils tolèrent que le Geai se perche sur la marmite ou le canot en marche, dérobe allumettes, chandelles, et cartouches jusque dans leur tente, et leur joue de ces tours naïfs qui enchantent leur âme simple. Ils s'amusent aussi de son appétit, pour ainsi dire insatiable, qui lui fait avaler avec une égale satisfaction apparente des morceaux de savon, une grillade de bacon, des lanières de viande crue, les graines rouges du sorbier ou la mousse favorite des Caribous. (Nos Indiens prétendent que le Geai est très capable de manger des mocassins ou un bonnet de fourrure.)

Ce voisin à l'estomac complaisant demeure toute l'année avec les habitants du nord. Il n'émigre pas. Et pour avoir plus de temps à leur consacrer, sans doute, il couve de bonne heure, souvent quand le thermomètre marque plusieurs degrés au-dessous de zéro. Son nid, fait de brindilles entrecroisées, est garni de sphaignes, de mousses et de plumes. La femelle y couve généralement quatre oeufs blanc-gris, légèrement tachetés de brun.

Quand les petits sont nés, le mâle aide à les élever. Il est alors dangereux pour les nids voisins. Bon parent et excellent pourvoyeur, comme tous les autres membres de la famille des

Corvidés, il nourrit volontiers sa progéniture d'omelettes nature et de poulets froids.

Lorsque les aliments frais, souris et oisillons, sont rares, il a recours aux noix et aux graines des conifères dont il fait provision à l'automne et qu'il conserve dans des *caches* selon la meilleure tradition du Nord.

Si nous exceptons les quelques rongeurs et insectes qu'il mange, sa valeur économique est nulle. Lorsqu'il est en puissace de famille il est même franchement nuisible. Son uniforme, qui rappelle la tenue des anciens Quakers, n'est pas beau et quant à son chant, autant n'en pas parler. Humainement parlant c'est un voleur, un bavard et un indiscret. Mais qui oserait ridiculiser la superstition doublée d'un sentiment affectueux qui le protège ? Il est le petit génie gris de la solitude, le lutin ailé de la sombre forêt septentrionale. Malgré ses gros défauts il est digne de sympathie. Lorsqu'il descend, comme en parachute, du haut d'un épicéa jusqu'à l'entrée d'une tente, vole, ou plutôt flotte légèrement dans l'air dans notre direction, il est, bien mieux que la colombe, le vivant symbole de la paix, fondée sur notre intelligence d'homme, qui pourrait régner entre nous et toutes les créatures.

LE COULICOU À BEC NOIR
(Coccyzus erythropthalmus)
Angl. : Cuckoo, Rain Crow.
L. 12.20 po.
Couleur prédominante : brun.

IL y a trois espèces de Coucous en Amérique du Nord, dont deux dans l'Est du Canada; le Coulicou américain à bec jaune *(Coccyzus americanus)* et le Coulicou à bec noir *(Coccyzus erythropthalmus)*. Ce dernier, le plus commun dans Québec, se distingue de l'autre par un manteau brun plus terne, un bec noir et l'absence des grosses taches blanches que son cousin arbore à la face interne de sa queue. Quant au reste ils se ressemblent.

L'un et l'autre n'ont de commun avec le Coucou d'Europe, oiseau consacré à Jupiter, que la réputation d'annoncer la pluie. Leurs plumages, leurs moeurs, leurs cris même, sont différents. Notre Coucou ne prononce pas son nom distinctement comme son congénère européen, modèle des horlogers suisses. Lui aussi à la *bouche molle*. Il se contente de dire, *couc couc couc*. En revanche il est plus élégamment vêtu et se montre meilleur parent.

On sait que le Coucou d'Europe ne bâtit pas de nid, mais pond ses oeufs dans le nid d'un autre et fait élever sa progéniture par des étrangers. Chez nous, le Vacher seul copie habituellement ces moeurs déplorables. Les Coucous d'Amérique, sans être bon architectes, s'installent dans leurs meubles quand ils se mettent en ménage. Ils construisent sur une fourche d'arbre une sorte de plateforme tapissée de fougères sur laquelle la femelle pond de deux à cinq oeufs bleu-vert. Ces oeufs étant souvent déposés à longs intervalles il arrive que Madame Coulicou ponde et nourrisse le même jour ; phénomène rare chez les oiseaux et qui pourrait faire croire que les Coucous américains, après de longs et honorables efforts pour vaincre les habitudes parasitaires de la tribu, ne sont pas encore très bien adaptés à la vie de famille. Cette opinion se justifierait d'autant mieux que certains individus se permettent encore de copier leurs cousins d'Europe et de pondre dans un nid étranger. D'autres se contentent de voler des oeufs, ce qui n'est guère recommandable.

Malgré ces accrocs à notre code moral le Coulicou est un voisin très désirable. Elégant, réservé, discret, ce météréologiste distingué n'est pas plus encombrant qu'une ombre et, lorsque nous réussissons à endormir sa méfiance naturelle il s'installe volontiers dans nos vergers où il devient un précieux allié. Il en veut particulièrement aux chenilles dont il détruit les nids, même sans faim. Pendant la saison elles entrent pour 50% environ dans son régime alimentaire. Il en mange tellement que son estomac se couvre des poils raides de cet insecte et prend l'aspect, dit Florence Berley, « d'un chapeau de castor qu'on aurait brossé à rebrousse-poil ».

Mais cette fourrure ne l'incommode nullement. Il a la faculté de se débarrasser de la paroi interne de ses intestins et de la remplacer par un tissu lisse.

Le Coulicou est un oiseau d'été. Il arrive subitement du sud au printemps, courtise discrètement sa compagne qui est habillée comme lui, et repart dès les premiers matins froids.

Au fond, c'est un oiseau tropical, couvert d'un mince manteau de plumes soyeuses et qui n'est pas encore tout à fait acclimaté chez nous. C'est pourquoi la nature a pitié de lui et accomplit à son endroit une sorte de miracle de croissance :

Vingt-quatre heures avant de quitter le nid le jeune Coulicou est couvert de longs *chicots* raides et durs qui lui donnent l'aspect d'une pelote à épingles bien garnie. Le lendemain, ces vilaines pointes éclatent comme des boutons de fleur et libèrent des plumes duveteuses. Si bien que l'impotent de la veille peut maintenant s'élancer dans l'air et voyager d'arbre en arbre du vol ondulé et gracieux qui caractérise l'espèce.

LE GEAI BLEU
(Cyanocitta cristata)
Angl. : Blue Jay.
L. 11.74 po.
Couleurs prédominantes : bleu, noir et blanc.

VOICI le sergent Bellehumeur de la forêt. Vêtu de bleu et de blanc comme un garde-française, gai, fanfaron, pillard, tapageur, brave au besoin, il copie bien les allures de son modèle littéraire. Il pousse même l'analogie jusqu'à s'enivrer de jus de fruits et à pousser des exclamations qui ressemblent à des jurons.

D'ailleurs le talent d'imitation des geais est bien connu. Après le Moqueur c'est lui qui reproduit le plus facilement le chant des oiseaux et les cris des animaux. Il le fait généralement pour son propre plaisir, à voix basse, mais il s'amuse aussi à répéter à haute voix le cri de chasse du Faucon crécerelle ou celui de l'Epervier, répandant ainsi la terreur parmi les petits hôtes des buissons. Lui-même est un piètre chanteur. Quelques notes graves qui rappellent vaguement celles d'une cloche composent tout son bagage musical. Lorsque, battant l'estrade, il converse avec ses congénères ou s'exprime au naturel, les sons qui sortent de son gosier sont plutôt rauques et désagréables.

Mais ils sont caractéristiques et permettent d'identifier un oiseau qui a l'art de se dérober. Malgré ses couleurs brillantes et bien qu'il pousse souvent ses incursions jusque près de nos maisons le Geai n'est pas facile à voir. D'habitude il s'arrange pour mettre un écran de feuillage entre lui et la personne qui le regarde. Et quand celle-ci veut l'approcher de trop près elle s'aperçoit souvent qu'un éclair bleu, un lambeau de ciel qui fuit sous la ramure.

Cette répugnance à se montrer n'est pas un caprice. Le geai est un oiseau sage et prudent. Il se sait un peu trop voyant pour sa sécurité. Au lieu de faire parade de sa beauté il la cache le mieux possible aux rapaces, ce qui ne l'empêche pas de les défier et de se moquer d'eux à haute voix quand ils approchent de l'une de ses retraites impénétrables.

Car, il est aussi taquin. Il tourmente volontiers le Hibou que la lumière du jour aveugle à demi, les petits oiseaux qu'il menace de mettre en morceaux et les écureuils qui ont l'audace de venir habiter près de lui. Il s'en prend aussi aux chasseurs de cerfs; on dirait même qu'il prend un malin plaisir à dénoncer leur présence à tous les échos et à faire le vide devant eux. Au fond, il n'y met aucune arrière-pensée, mais il est bavard et tapageur par tempérament.

A l'automne la famille Geai voyage. Elle cherche des noix dont elle est friande et dont elle brise la coquille en la frappant sur une branche. Elle fait aussi des provisions. Mark Twain raconte quelque part l'histoire d'un geai qui avait rempli toute une maison de glands. Il les déposait à l'intérieur par un trou dans la facade. Humour à part, le trait est bien observé. N'émigrant pas à proprement parler le Geai s'assure des réserves de nourriture pour la saison creuse. Et comme il enterre souvent des noix qu'il oublie, à la façon des écureuils, il aide au repeuplement des forêts.

Tout en faisant la récolte les geais bavardent, échangent peut-être leurs impressions sur les bêtes rencontrées et s'abandonnent à leur nature bruyante. Il en est de même au printemps alors que d'autres occasions de faire du bruit leur sont fournies : querelles avec d'autres oiseaux pour la possession du territoire, combats de rivaux, surplus de vie à dépenser. Mais une fois pariés les Geais se transforment. Finies les fanfaronnades ! le moment d'être sérieux est arrivé :

Après une cour rapide et dépourvue d'artifices le mâle suit la femelle qui l'a agréé. A deux on reconstruit un nid détérioré par l'hiver ou, plus généralement, on en construit un autre sur un arbre. Le Geai aime les constructions solides. Il ramasse rarement du bois sur le sol de la forêt; il lui faut des matériaux sains et aux besoin il les prend aux arbres debout. Quelquefois, il emploie des branchettes vertes.

Ce travail accompli la femelle pond, à un jour d'intervalle cinq à six oeufs verdâtres tachetés de brun, qu'elle couve assidument. Son époux la ravitaille sur le nid. Plus tard il aidera à nourrir la nichée. Mais à partir du moment où la femelle s'accroupit sur le nid il est muet. Il devient même furtif. Il se déplace avec mille précautions, n'aborde jamais le nid sans faire des détours et sans surveiller les environs, se pose au bas de l'arbre qui porte le nid et n'accède à ce dernier que par l'escalier des branches.

Et contraste encore plus frappant le fanfaron braillard en temps ordinaire se révèle brave dès qu'il retient sa langue. On l'a vu tenir tête à des oiseaux beaucoup plus forts que lui, mettre en fuite des écureuils qui grimpaient à son arbre, frapper de l'aile un homme qui se penchait pour ramasser un petit geai tombé du nid.

Excellent parent le Geai a aussi bon coeur. Des naturalistes sérieux affirment qu'il prend soin de ses congénères vieux et infirmes et partage avec eux ses provisions en temps de disette.

Hélas ! malgré les beaux traits de son caractère le Geai bleu a mauvaise réputation. Attiré, comme tous les corvidés, par les objets brillants, il lui arrive de s'approprier les petits bijoux qu'on laisse traîner sur les vérandas. Ces larcins, ajoutés aux fruits qu'il consomme parfois dans les vergers et aux oeufs qu'il dérobe aux oiseaux chanteurs, sont jugés sans pitié. On l'ac-

cuse ouvertement d'être un bandit au pays des ailes, un indési-
rable voisin pour l'amateur d'oiseaux. Peu nombreux sont ceux
qui reconnaissent l'habileté avec laquelle il s'acquitte de la
tâche de régulateur qui lui a été confiée par la Nature.

Les nègres du sud des Etats-Unis sont particulièrement sévères. Ils font du Geai bleu l'espion et le messager de Satan.
Ils prétendent que tous les vendredis le Geai descend aux enfers conférer avec son patron et qu'en avril, (quand le mâle
ramasse des brindilles pour signifier qu'il est prêt à se mettre
en ménage) il fait provision de bois pour le feu éternel...

L'ENGOULEVENT CRIARD
(Caprimulgus vociferus)
Vulg. : **Bois pourri, Tète-chèvre (F.).**
Angl. : Whip poor-will.
L. 9.75 po.
Couleur prédominante : bruyère.

TOUT le monde a entendu l'onomatopée qui sert de chant à cet oiseau nocturne, mais très peu de personnes ont eu la chance de voir ce fantôme bavard et inoffensif, habillé comme un papillon de nuit. Sa présence près des maisons de campagne, signalée par la forte aspiration qui précède ses efforts vocaux, ne peut qu'exciter la curiosité, car dès que nous essayons de l'approcher ses gros yeux de nyctalope ont tôt fait de nous repérer. S'envolant sur ses ailes feutrées il se laisse tomber plus loin et le sol semble l'avaler. Et si, guidé par ses perpétuels *bois-pourri, bois-pourri* nous nous dirigeons de nouveau vers lui, il va se poser ailleurs, toujours criant et toujours invisible, jusqu'à ce que las de jouer à cache-cache il aille se nourrir et chanter dans une région plus lointaine.

De jour, il n'est pas plus abordable. Il arrive qu'en marchant en forêt nous fassions lever une femelle qui couve parmi les feuilles mortes ou un mâle qui dort dans un taillis. Pendant un moment une forme obscure s'agite dans le sous-bois, puis elle disparaît, happée par la pénombre. Il ne reste qu'à chercher l'emplacement du nid quand la saison justifie cette curiosité.

Il est également difficile à voir puisque, à proprement parler, il n'y a pas de nid : la femelle dépose sur le sol deux oeufs oblongs, dont les couleurs jaune et violette s'harmonisent parfaitement avec celles de l'entourage. Les petits sont également vêtus d'un duvet de couleur protectrice. Dans ces conditions le hasard seul peut nous conduire assez près des oeufs ou des petits pour que la mère se croie obligée de venir traîner de l'aile devant nous, avec l'espoir de nous attirer à sa suite, de fourré en fourré, jusqu'à ce que nous cessions d'être une menace pour sa progéniture.

Ces allures secrètes, cette invisibilité mimétique desservent le *Bois-pourri* dans l'imagination populaire. Pour nos campagnards il est de mauvais augure; son cri poussé près d'une fenêtre annoncerait une mort prochaine.

Cette croyance est très ancienne et la famille des Caprimulgidés, à laquelle appartiennent les Engoulevents, étant largement distribuée dans le monde, elle est universelle. Les vieux mythes asiatiques et européens font de l'Engoulevent criard un enfant du vent du nord, symbole de mort, ou un parent des Walkyries. Cette superstition est partagée par les Indiens de l'Amazone pour qui le *Bois-pourri* incarne les âmes errantes, et par les Sioux qui croient qu'un homme meurt chaque fois qu'il cesse de crier. Quant aux habitants de Costa Rica ils l'associent si bien à la mort qu'ils mêlent ses os pulvérisés au tabac de la cigarette qu'ils donnent à fumer à leurs pires ennemis...

Moins lugubre est la légende des Alleghanys. Elle veut qu'une jeune fille connaisse le nombre d'années qui la séparent du mariage par le nombre de cris du *Bois-pourri*. Comme ce dernier peut en pousser mille et plus de suite et au même endroit, il faut espérer que les jeunes vierges ne le prennent pas trop au sérieux.

Elles auraient bien raison car le *Bois-pourri* n'a certainement jamais songé à ennuyer quelqu'un, encore moins à le faire mourir. Il n'est même pas coupable du vol d'une seule goutte

de lait. Le nom de *tète-chèvre* qu'on lui donne en Europe, parce qu'on le voit parfois près des troupeaux, est une calomnie.
Il est exclusivement insectivore et rend de grands services à
l'agriculture en détruisant force chenilles au stage de papillons
et un nombre incalculable de hannetons.

Aucun mystère ne l'entoure. Il n'est qu'une merveilleuse
créature adaptée à ses fonctions naturelles, un bel oiseau aux
ailes veloutées, un piège volant où se prennent chaque année
des millions de bestioles nuisibles. Son anatomie explique ses
habitudes.

Pourvu de pattes faibles il ne s'agrippe pas aux branches
comme la plupart des oiseaux, mais se pose sur elles, sur un
rocher ou sur le sol. Il attrape ses proies en bondissant et au
vol. Cette capture lui est facilitée par les longs poils rigides
qui garnissent sa lèvre supérieure et font office de filet. Il n'a
qu'à ouvrir la bouche caverneuse qui lui a valu son nom scien-
tifique *(Antrostomus)* et à promener sa tête parmi les colonies
de ses victimes pour se nourrir abondamment.

La facilité qu'il trouve à s'alimenter explique sans doute
le temps qu'il perd à crier. C'est après un bain de poussière
et un bon dîner qu'il donne de la voix. Et chacune de ses
pauses marque la dégustation de quelques entremets.

Ceci porte à croire que le chant du Bois-pourri n'est pas une
complainte, comme on le suppose, mais un témoignage de satisfaction, un cri de contentement, Si, nous débarrassant des
préjugés populaires, nous l'écoutons d'une oreille sympathique,
nous y percevons même une note gaie, un souffle d'enthousiasme. Il nous est ensuite facile de l'imaginer chaussant, par plai-
santerie, les belles orchidées sauvages de nos forêts (Cyprini-
pèdes), appelées *sabots de la Vierge* par nos paysans et *mocassins*
de *Bois-pourri* par les Iroquois...

LE PETIT DUC
(Otus Asio)
Vulg. : **Le petit hibou.**
Angl. Screech Owl.
L. 9.40 po.
Couleurs prédominantes : gris et blanc.

CETTE réduction du Grand Duc possède les caractères physiques de celui-ci et partage, avec ses moeurs, sa réputation d'oiseau de mauvais augure. Toutefois, il s'en distingue autrement que par la taille; de notre point de vue il est aussi bon voisin que l'autre est détestable.

Comme son grand frère (qui ne s'intéresse à lui que pour le manger) il est formidablement armé pour la silencieuse chasse de nuit. Seulement son habileté s'exerce généralement sur des proies qui nous tiennent moins au coeur. Il dévore bien quelques petits oiseaux, contracte même, parfois, la mauvaise habitude de les enlever des maisonnettes que nous érigeons à leur usage, mais il se nourrit surtout d'insectes et de petits rongeurs

dont il fait provision en temps d'abondance. Il est le plus
fidèle allié des pomiculteurs. Sa prédilection pour les vieux
vergers où il trouve des retraites commodes dans les arbres
creux, le fait qu'il demeure toute l'année dans le territoire qu'il
a délimité et son goût marqué pour les souris, rendent son voisinage très désirable. Il protège les jeunes pommiers en dévo-
rant les *mulots* qui les grugent, l'hiver, jusqu'à la hauteur de
la neige.

Il défend aussi le grain engrangé et les récoltes sur pied, le
garde-manger de la maison et, dans certains cas, les nids posés
à terre. Meilleur ratier que le chat il est le gardien de nuit
de la ferme. C'est pourquoi il est recommandé aux cultivateurs qui n'élèvent pas de pigeons, de tolérer qu'il niche dans
leur grange. Il leur est même conseillé de l'attirer en installant
des maisons d'oiseaux à sa taille. De toutes façons il ne faut
jamais le tuer à moins de preuves répétées de sa malfaisance.
Ce serait en quelque sorte un abus de confiance puisqu'il daigne vivre près de nous et est parfaitement inoffensif tant qu'on
n'approche pas de ses oeufs ou de ses petits. Dans le dernier cas
il attaque aussi bravement que le Grand Duc.

Nous n'avons pas à juger une foule d'individus de cette
espèce qui souillent leur nid de leurs excréments. Ce nid —
très souvent le trou abandonné par un Pic doré — n'est jamais
qu'un logis temporaire où les petits sont nourris pendant quatre ou cinq semaines, après quoi la famille se disperse, chacun
chassant de son côté et campant le jour dans des cavités d'arbres ou des anfractuosités de rochers. Nous ne sommes pas
obligés, non plus, de le craindre parce que les anciens en faisaient un messager de mort et que nos Peaux-Rouges mettaient
une de ses plumes dans la main de leurs guerriers défunts pour
qu'elle leur serve de sésame au royaume des ombres. Il vaut
mieux le considérer sous son dimorphisme, qui le fait naître
tantôt roux et tantôt brun, (les deux couleurs peuvent être re-
présentées dans la même nichée) comme un modèle réduit du
remarquable Grand-Duc, un magnifique chasseur nocturne et
un oiseau dont le chant d'amour a un caractère très particulier.
Alors que la plupart des amoureux ailés expriment leurs sentiments, au temps de la pariade, par des sons joyeux ou mélancoliques, lui lamente sa bonne fortune et pleure son bonheur.

Son nom anglais, *Screech Owl* vient justement du cri, mélodieux mais désespérant, par lequel il appelle sa compagne et qui résonne l'un des premiers au printemps.

Comme le Petit Duc est commun dans Québec, on peut entendre sans trop se déranger sa plainte sentimentale. Bien mieux, on peut le voir, les soirs d'été, quand il rôde, élégant et silencieux, en quête de sauterelles et de souris; ombre armée dont les gros yeux ronds ont conquis la nuit.

LA PIE-GRIÈCHE MIGRATRICE

(Lanius ludovicianus migrans)

Vulg. : L'Écorcheur.

Angl. Loggerhead Shrike, Butcher Bird.

L. 9 po.

Couleurs prédominantes : gris et blanc.

LES moineaux et les sauterelles que nous trouvons parfois empalés sur une épine de cenellier ou de barbelé ne se sont pas perforés par accident. Encore moins se sont-ils suicidés à la Vatel en se jetant sur une pointe. Ils ont été accrochés là par un passereau, à peine de la taille d'un merle, a qui le Créateur a donné un bec et des instincts de rapace tout en lui laissant les pattes, les ailes et le gosier des oiseaux chanteurs.

Cet être hybride, curieux par les moeurs et joli de plumage, est la Pie-Grièche. On en compte deux espèces en Amérique du Nord; celle-ci, la Pie-grièche migratrice ou commune, qui niche l'été chez nous puis traverse la frontière des Etats-Unis à l'automne, et la Pie-grièche boréale *(Lanius borealis)* dont l'habitat est plus nordique. Cette dernière nous visite l'hiver. Elle accompagne dans leurs pérégrinations saisonnières le Plectrophane des neiges et les autres petits glaneurs qui composent son garde-manger ambulant. Quelquefois, elle s'arrête dans les villes ou les villages, attirée par les bandes de moineaux et de sansonnets. Elle se distingue de l'autre par une taille plus forte, des vermiculations foncées sur les dessous et une tendance plus marquée à suspendre le surplus de son gibier aux buissons et aux clôtures. Mais ses moeurs et ses allures sont sensiblement les mêmes que celles de sa soeur.

La Pie-grièche commune fréquente les collines boisées, les haies des champs et les vieux vergers, endroits riches en petites vies. Son nid, gros et compact, fait de bâtonnets et de feuilles, est installé dans un buisson épineux, en plein territoire de chasse. Il est généralement garni de poils, de duvet et de plumes prélevés aux victimes. Les petits, au nombre de quatre d'habitude, naissent d'oeufs grisâtres et tachetés. Il y a souvent deux couvées par saison.

La vie de famille, marquée par un chant qui ressemble un peu à celui du Moqueur-chat et par le dévouement habituel des parents, est courte. Ce petit chasseur gris et noir est un solitaire aussi indépendant que l'aigle et plus brave que lui. On dirait qu'avec la dent de faucon dont s'arme sa mandibule supérieure il a hérité des qualités du plus noble des rapaces et d'un peu de son caractère farouche. Son courage est à toute épreuve. En chasse il oublie la faiblesse relative de ses pattes et la petite envergure de ses ailes; il s'attaque souvent à des proies beaucoup plus grosses que lui. On l'a vu lier des merles, des gros-becs et même des geais bleus, c'est-à-dire des proies qu'il peut à peine soulever de terre. Exploit d'autant plus remarquable que ces captures, surtout dans le cas des sansonnets, s'effectuent parfois au beau milieu d'une bande acharnée à le tourmenter. Loin de perdre la tête devant cette démonstration d'hostilité il choisit une victime parmi ses persécuteurs, l'enlève au nez des autres et leur en impose ainsi par sa bravoure.

Il semble que la Pie-grièche, en vol comme en chasse, poursuive une idée fixe. Elle ne fait aucun mouvement désordonné ou inutile; chacun de ses battements d'ailes la mène quelque part, chacun de ses plongeons a une proie pour but. Ce sérieux implacable, ces allures inflexibles expliquent qu'elle entre quelquefois dans les maisons et attaque les serins encagés.

Il est vrai qu'elle n'agit pas toujours aussi franchement. Il lui arrive de se poser à terre au milieu d'une bande de bruants en train de glaner, de les accompagner quelque temps, puis de

se jeter sur l'un d'eux et de le tuer. Elle attire aussi à sa portée le Merle et divers autres oiseaux en imitant leur cri. Toutefois, ce n'est pas là sa façon habituelle de procéder.

La Pie-Grièche chasse à l'affût. Perchée sur un poteau,
un fil de téléphone ou un arbre elle surveille la terre et le ciel.
Une souris se glisse-t-elle dans l'herbe ? une sauterelle fait-elle
un bond à quelque cent pieds de son perchoir ? elle l'aperçoit, lance le coup de sifflet aigu qui est son cri de chasse et se
précipite sur la victime. Quand le gibier passe au vol elle le
survole, se laisse tomber sur lui, l'entraîne au sol, le frappe du
bec sur la tête ou le secoue jusqu'à ce que mort s'ensuive. Puis,
si elle a faim, elle commence à le manger par le cou; sinon, elle
l'emporte en s'aidant du bec et des ongles, le coince dans une
fourche d'arbuste ou l'accroche à une épine. Souvent elle le
laisse sécher sans y toucher et lorsque la chasse est bonne on
trouve parfois plusieurs moineaux et des douzaines de sauterelles qui ont été tués en vain.

Il semble bien que l'assujettissement du gibier à un point
fixe soit une conséquence de la faiblesse des pattes. Pour manger confortablement une proie un peu grosse la Pie-grièche a
besoin d'un appui, d'où l'habitude devenue instinctive d'accrocher ses proies comme le boucher accroche ses quartiers de
viande.

Ce qui précède ne doit pas nous amener à conclure que la
Pie-grièche est un être malfaisant, assoiffé du sang des bestioles
emplumées. Au fond c'est un oiseau utile. Elle mange, c'est entendu, quelques passereaux auxiliaires de l'homme, quelques
grenouilles et musaraignes, mais elle mange beaucoup plus de
petits rongeurs et une quantité énorme de sauterelles. Ces
dernières forment la base de son régime alimentaire estival et
elle en nourrit ses petits. De façon générale elle ne chasse le
gibier à plume qu'en hiver et encore se montre-t-elle partiale
à l'endroit du Moineau domestique. De sorte que nous avons
de bonnes raisons de respecter la loi qui la protège et d'observer avec sympathie ce drôle de petit passereau que son bec crochu a déclassé. En le mettant sous nos yeux le Créateur a
démontré encore une fois sa toute-puissance, car lui seul pouvait faire un aigle d'un moineau.

LE MOQUEUR-CHAT
(Dumetella carolinensis)
Vulg. : **L'oiseau Chat.**
Angl. : Catbird.
L. 8.94 po.
Couleur prédominante : gris foncé.

LES cris impatients d'un chat en détresse ont souvent attiré près d'un buisson des personnes bien intentionnées qui ont été fort surprises de découvrir, au lieu d'un félin, un oiseau gris-ardoise coiffé d'un béret noir, portant sa longue queue retroussée comme un Troglodyte et affichant un petit air indépendant qui contredisait ses appels. Elles ont ainsi fait connaissance avec l'un des Moqueurs américains, groupe remarquable par son talent d'imitation.

Le Moqueur-chat ne se contente pas de se moquer de Minet; doué d'un sens aigu de l'observation et d'une oreille assez juste il reproduit encore avec succès le cri du poulet égaré, le sifflement du Martin-pêcheur, le coassement de la Grenouille, les roulades des Fauvettes et le chant de plusieurs autres oiseaux.

Ou plutôt il suggère tous ces bruits, car son imitation est rarement parfaite.

Le plus curieux est qu'il ne met probablement aucune arrière-pensée de moquerie dans ses efforts vocaux. Il fait de l'art pour l'art, il se donne à lui-même des concerts variés jusqu'en août alors qu'il semble perdre la voix. Après cette date, qui coïncide avec celle de la mue annuelle, il se contente de moduler à voix basse ses propres petites chansons qui sont assez agréables. Puis, le froid étant venu, il disparaît une belle nuit vers la Louisiane. Panama ou Cuba, ses villégiatures d'hiver.

Il peut se livrer à ce manège pendant plusieurs années avant que nous nous apercevions de sa présence à nos côtés. Hardi à réclamer son territoire, curieux et affairé dans son domaine buissonneux, il est plutôt réservé à notre endroit. C'est furtivement, en piétinant, qu'il se glisse dans nos carrés de fraises et y dispute au Merle d'Amérique les premiers fruits rougissants.

Il aime pourtant le voisinage de nos maisons, surtout quand l'aubépine y pousse. Cet arbuste rébarbatif, hérissé d'épines, reçoit souvent son gros nid composé de brindilles, de radicelles, de feuilles et d'écorces, que les deux époux construisent de compagnie quand la femelle s'est enfin décidée à accepter le mâle, ébouriffé et empressé, qui la poursuit en dansant et en saluant. Trois à cinq oeufs bleu-vert y sont déposés que la femelle couve pendant que le mâle lui parle à voix basse : susurrements d'amour ou potins de bosquets. A cette époque le mâle chante aussi parfois très fort, dans un endroit découvert, et met beaucoup de sentiment dans son chant.

Dans certains cas il accepte de couver pendant que madame se délasse dans les buissons. Et il arrive qu'il nourrisse seul la première couvée, sa compagne étant occupée à construire le nid qui recevra la seconde. Les Moqueurs-chats sont partisans des familles nombreuses.

Les petits quittent le nid au bout de dix à quinze jours. Les premiers temps ils traînent les buissons ou chassent avec leurs parents.

Malgré les légers dégâts qu'ils causent dans les jardins fruitiers et les oeufs qu'ils volent parfois dans d'autres nids, ces oiseaux sont utiles. Ils dévorent force sauterelles, chenilles et autres insectes ennemis de l'homme. Ils sont aussi fort propres et, comme la plupart des oiseaux, adorent se baigner en eau tiède.

Mais le plus joli trait relevé chez les Moqueurs-chats est leur sollicitude à l'égard des orphelins de l'espèce. Les femelles des environs prennent soin de toute nichée abandonnée par suite d'accident et la nourrissent jusqu'à ce qu'elle puisse voler. Autre démenti à ceux qui ne voient dans les bêtes que des êtres égoïstes et gloutons.

LE TYRAN
(Tyrannus tyrannus)
Vulg. : **Tri-tri, Batteux de corneille.**
Angl. : Kingbird.
L. 8.51 po.
Couleurs prédominantes : noir et blanc.

SUR un arbuste du bord de l'eau, dans la tête d'un vieux pommier près de la maison, sur le rebord d'un pont de bois ou entre deux *perches* de clôture de cèdre est installé un nid fait de débris végétaux assez lâchement assemblés, mais capitonné de radicelles, de crin et de duvet. Dans la coupe arrondie par la poitrine de la femelle reposent trois ou quatre oeufs crème, tachés de brun, ou autant de boulettes duveteuses, chacune piquée d'un large bec jaune. Tous, maraudeurs et curieux, peuvent les voir. Les parents n'ont fait aucun effort pour les cacher.

Imprudence ? Non : bravoure confiante, mépris du chevalier à l'endroit des compromis, de la ruse et des faux-fuyants.

Qu'un épervier vienne planer au-dessus du dépôt sacré, qu'une corneille essaie de le survoler, et l'on voit aussitôt se détacher d'une branche ou d'un poteau voisin un petit oiseau noir et blanc qui monte à la rencontre du rapace. La taille de ce dernier ne l'effraie pas. Elle est cinq fois, dix fois plus forte que la sienne ! Qu'importe ! il aborde l'ennemi, engage la bataille.

Sa tactique habituelle consiste à survoler l'adversaire et à le frapper du bec sur la tête. Il est trop petit pour le tuer, mais sa furie légitime en impose aux voleurs à l'instinct trouble. Ils détestent ce brave oisillon qui devine leurs mauvais desseins et ne leur permet même pas de passer au-dessus de son terrain. Ils essaient d'abord de lui échapper en faisant des acrobaties aériennes. Ils font des renversements, des glissades sur l'aile, des plongeons perpendiculaires. Peine perdue : le Tritri connaît la plupart des tours des champions de l'air. Ne les a-t-il pas déjà exécutés lui-même, quand il faisait la cour à sa compagne et qu'il entendait la séduire par son adresse d'aviateur de chasse ? Toutes ces culbutes il les a pratiquées au temps des amours et quoi que fasse l'adversaire il n'en perd pas un coup de bec. Si bien que l'autre finit par se lasser et prendre la fuite. Trop heureux si son farouche assaillant se contente de cette déroute; car souvent il s'agrippe au dos de son ennemi et le conduit, toujours frappant, bien au delà du territoire tabou. Il arrive même que sa colère l'emporte trop loin et qu'un oiseau de proie, reconduit jusqu'à son propre territoire, sente un courage subit l'envahir, se retourne et cueille le hardi pygmée dans ses serres. Mais le cas est rare. Le Tritri abandonne généralement la lutte quand il est fatigué ou que le fuyard prend une trop grande avance. Après s'être orienté là-haut il revient à tire-d'aile sur son perchoir de guet. Quelquefois, lorsque le combat s'arrête au-dessus du nid, il se laisse tomber comme une feuille morte, en vrille, et n'ouvre les ailes qu'à la hauteur des arbres.

Revenu à son poste le Tritri ne claironne pas sa victoire comme il en aurait le droit. Les hommes parlent encore, après quelques milliers d'années, du combat de David contre Goliath; mais chez les Tritris la défaite d'un géant est un incident journalier, banal. Le héros pousse quelques petits cris pour prévenir sa compagne qu'il est de retour et que le ciel est libre, lisse les plumes dérangées pendant la rencontre et reprend sa surveillance tout en gobant des mouches.

Car ce champion des rapaces, ce tombeur de corneilles qui ne baisse le bec que devant deux autres oiseaux : le Colibri et le Faucon pèlerin, toux deux aussi braves et mieux équipés pour la lutte, n'est au fond qu'un petit moucherolle, dangereux seulement pour les insectes dont il se nourrit et dont il nous débarrasse. L'appeler *tyran* comme les savants l'on fait est pure calomnie. C'est tout simplement un bon père de famille, toujours inquiet au sujet des siens, toujours prêt à les défendre. Avec cela nerveux comme une souris et se méfiant même du Merle de passage qui ne nourrit pourtant aucune mauvaise pensée à son endroit. Ce qui ne l'empêche pas de tolérer les Fauvettes et autres petits chanteurs qui élisent domicile dans *son* arbre. Ceux-là sont sûrement inoffensifs et il le sait. Avec les autres il ne court pas de risque. Sans doute les confond-il, dans son extrême prudence, avec le Vacher, parasite des nids, pour qui il professe une particulière horreur.

Mais qui oserait lui reprocher son excès de précautions ? Dieu sait qu'il n'est pas facile ces années-ci d'élever une famille en paix. Au lieu de lui donner des noms malsonnants on devrait élever au Tritri un monument, car il est le meilleur gardien de nos poulaillers. Sa constante vigilance et sa haine des rapaces en font un précieux allié pour l'éleveur de volailles dont il patrouille le terrain en même temps que le sien.

Je sais qu'on lui reproche de manger les abeilles et que certains apiculteurs ont mis sa tête à prix. Ignorance des faits qui dessert l'apiculteur autant que le Tritri. Après avoir examiné des centaines d'estomacs de ces oiseaux le service biologique des Etats-Unis a conclu que si le Tritri attrape parfois quelques abeilles qui passent à sa portée ce sont surtout des frelons qui ne jouent aucun rôle dans l'économie de la ruche. Lorsque per hasard il gobe une abeille travailleuse c'est bien par distraction, car à l'encontre du mâle celle-ci possède un aiguillon avec lequel le chasseur ne tient pas du tout à faire connaissance et que généralement il prend soin d'éviter.

Son gibier ordinaire est le Maringouin et les myriades d'insectes nuisibles, parmi lesquels on compte justement quelques ennemis de l'abeille. Il les chasse généralement à l'affût c'est-à-dire qu'il les guette de son perchoir. Malheur au moustique ou au papillon qui passe à moins de cent pieds de lui. Ses yeux sont vifs et ses ailes sûres. D'un élan il le cueille en plein ciel.

Quand l'air est trop chiche de proies il chasse aussi au ras de l'eau, comme une hirondelle, et même en rase-motte les jours où le vent empêche les insectes de s'élever. Bon pourvoyeur, il trouve toujours quelque chose à apporter à ses petits.

Une légende veut que pour attirer les insectes le Tritri mâle expose le couronne rouge qu'il porte sous les plumes de sa tête. Les victimes, trompées par cette fausse fleur, s'approcheraient pour la butiner et seraient happées au passage.

L'idée de l'oiseau-fleur est jolie, mais elle ne renferme pas une parcelle de vérité. La tache rouge est une séduction pour la femelle, au temps de la pariade, à moins que ce soit la Légion d'honneur (à titre militaire !) des oiseaux. Et puis, la comparaison est quelque peu mignarde quand on l'applique à ce farouche guerrier. Avec sa tête carrée, engoncée entre les épaules quand il est au repos, sa voix un peu dure et son vol direct, le Tritri n'est pas un modèle d'élégance. A d'autres les couleurs brillantes et les roulades amoureuses. Lui se vêt sobrement et ne chante pas : il parle. Mais il fait consciencieusement la police du territoire qu'il a choisi (généralement près de l'eau à cause de l'abondance des insectes et des facilités de bain) et est un modèle de vertus familiales. Conscients de son mérite nos Indiens l'avaient surnommé *petit* chef, idée que les Anglo-Saxons ont perdu par *Kingbird,* oiseau-roi.

Selon l'expression populaire il est aussi un *bourreau de travail.* Il se lève avant le jour et se couche après le soleil. Si bien qu'après tout un été de moucheronnage et de duels contre des adversaires supérieurs on comprend qu'il aspire à des vacances dans le Sud et aille d'octobre à avril, se reposer en Amérique centrale. Mais ce serait mal connaître cet oiseau américain, débordant d'énergie, que de l'imaginer tranquille et se chauffant béatement au soleil. La maison principale de sa migration est la rareté des insectes sous notre climat de fin d'été. Le Tritri a horreur du chômage. Il va où son bec peut le mieux s'employer et continue là-bas à bien servir l'agriculture.

LE GROS-BEC À POITRINE ROSE
(Pheucticus ludovicianus)
Angl. : Rose-breasted Grosbeak.
L. 8.12 po.
Couleurs prédominantes : gris, rouge et blanc.

CET oiseau propre, correct, aux allures de gentilhomme est l'un de nos meilleurs chanteurs. M. F. Schuyler Mathews qui a étudié en musicien tous nos artistes ailés dit de lui : — « Son chant... vaut moins par la mélodie, que par sa mesure incomparable et sa tendresse inimitable... Il ressemble un peu à celui du merle, tout en étant d'une qualité supérieure. » Il aurait pu ajouter qu'il est *distingué*, comme toute la personne de l'oiseau.

C'est en mai, quand il nous revient de l'Amérique centrale, du Mexique ou du sud des Etats-Unis, que le mâle Gros-bec nous régale de ses notes chaudes et pleines de sentiments. Il chante alors son droit de possession sur le territoire qu'il a délimité pour la femelle qu'il attend, mais à nos oreilles profanes il exprime surtout la vie gonflée de sève et le soleil vainqueur. Sa compagne arrivée, il mêle son chant à ses caresses, l'en régale quand elle est sur le nid. Lorsqu'il remplace la couveuse il chante encore pour lui-même (fait rare chez les oiseaux) et adresse ses roulades aux étoiles. Quelquefois, il entonne sa chanson vers midi, à l'heure où la plupart des oiseaux se taisent. En vérité, il chante même en se battant et les témoins savent que les combats de mâles jaloux sont souvent des duels sanglants.

Fait curieux, le mâle est un peu ventriloque : lorsqu'un oiseau de proie apparaît dans son ciel, au lieu de se taire il baisse la voix et semble la faire venir d'un endroit fort éloigné de celui où il se trouve.

La sérénité de son caractère suffisait déjà à rendre le Grosbec sympathique, mais il a d'autres qualités : c'est un excellent époux, un bon père de famille et un grand ami des cultivateurs. Certes, il mange quelques pois, quelques insectes utiles, mais en retour il détruit quantité de mouches qui s'attaquent aux pieds de concombre, mange des boisseaux de *bibites à patate* (Doryphora decemilineta), et donne leurs larves à ses petits.

Ce dernier goût est à retenir, car il permettra peut-être d'apercevoir ce voisin timide qui niche dans un couvert, situé de préférence près de l'eau. Une fois vu il est facile à identifier grâce à la belle tache rose-rouge qu'il porte autour du cou comme une cravate de commandeur. Il convient de se rappeler, toutefois, que cette marque brillante est l'attribut du mâle seul; la femelle est d'aspect tout à fait différent; elle ressemble plutôt à un gros moineau brun qui aurait une large barre blanche au-dessus de chaque oeil.

On peut aussi voir ces beaux oiseaux en se promenant près des ruisseaux et sur le bord des lacs. S'il y a un nid dans les environs le mâle nous y guidera par ses cris et son chant. Nous verrons alors une construction simple, faite souvent de vrilles de vigne sauvage, posée librement sur une fourche, à quelques pieds du sol ou parmi des mûriers. En saison, elle renferme de 3 à 5 oeufs bleuâtres, pointillés de lilas et de brun, ou autant de boules duveteuses portant la livrée des parents.

Malheureusement, ces aimables rencontres ne sont pas aussi fréquentes que nous le souhaiterions. Le Gros-bec n'est pas commun. Il l'était autrefois, mais les modistes découvrirent que les ailes noir et blanc du mâle faisaient un fort joli effet sur les chapeaux. Elles furent donc les alliées et les protectrices des *bibites à patate* jusqu'au jour où la loi prit la défense de ce musicien trop bien vêtu.

LE SANSONNET OU ÉTOURNEAU

(Sturnus vulgaris)

Vulg. : **Mangeur de viande.**
Angl. : **Starling.**
L. 8.5 po.

Couleur prédominante : noir verdâtre moucheté de jaune.

N'EN déplaise à nos campagnards qui ont donné son nom à presque tous les oiseaux de sa taille portant un manteau sombre, le seul étourneau vulgaire au Canada est cet immigré européen. Quand il est en compagnie de Vachers et de femelles de Carouges, ce qui arrive fréquemment, on le distingue par le bec jaune des adultes et les petites mouchetures claires qui parsèment leur poitrine vert foncé. On l'identifie aussi par ses ailes en triangle et son vol mi-rameur, mi-planeur. L'hiver, toute confusion est impossible : les autres oiseaux noirs étant en vacances dans le sud, le seul *étourneau* demeuré avec nous est celui-ci, l'original.

Cette permanence démontre déjà son talent d'adaptation. Comme le Moineau il s'accroche à tout domaine qu'il envahit, et tant pis pour les espèces indigènes. Sa tête solide, armée d'un bec pointu, renferme une petite cervelle mieux dévelop- pée, prétend l'ornithologiste Forbush, que celle de la plupart des oiseaux américains. Plus intelligent il se défend mieux contre l'homme, et quand on le persécute il devient d'une mé- fiance à rendre des points à la Corneille elle-même.

La fécondité venant s'ajouter à ces dons naturels on com- prend que les 80 étourneaux importés à New-York en 1890 se soient multipliés et répandus sur tout le continent nord-amé- ricain, rompant un peu partout l'harmonie qui existait dans la répartition des espèces et créant un problème de distribution dont le temps seul pourra fournir la solution. Pour l'instant il est impossible d'endiguer cette invasion. L'Etourneau est installé chez nous à demeure. Le détruire ou le chasser est im- possible. Tout au plus pouvons-nous le forcer à se déplacer, et encore les efforts faits à Washington, D. C. prouvent que cela n'est pas facile.

Des bandes innombrables d'étourneaux ayant pris l'habi- tude de convertir en dortoirs les corniches des monuments pu- blics, les édiles de la capitale des Etats-Unis songèrent à les éloigner en les empêchant de dormir. Cinquante chômeurs furent chargés d'agiter toute la nuit sous leurs perchoirs des boîtes de fer-blanc renfermant des cailloux. Pendant deux ou trois nuits les oiseaux partagèrent l'insomnie du quartir, puis ils comprirent : ils allèrent coucher ailleurs... jusqu'à ce que le bruit cessât : ils revinrent alors à leurs places favorites y narguer les autorités.

L'Etourneau est d'autant moins excusable d'empiéter sur le domaine d'autrui qu'il trouve partout à se loger. En ville il lui arrive de chasser les pigeons de nos clochers et de s'instal- ler à leur place, ce qui n'est pas encore un bien grand crime. Mais à la campagne, c'est une autre histoire. Comme il a une prédilection pour les abris en bois il commence par s'emparer des maisonnettes d'oiseaux, puis des cavités dans les arbres, demeures des Merles bleus, des Sittelles et des Pic Bois. Ces derniers sont les principales victimes. Souvent, quand un couple de ces honnêtes charpentiers a fini de creuser un nouveau logis, arrive un Etourneau qui fait mine de s'en emparer. Naturellement les Pics engagent la bataille, mais pendant qu'ils s'escriment contre le voleur survient un deuxième larron qui pénètre dans le trou et s'y installe. Les spoliés se tournent alors contre l'intrus, mais il met son bec dehors et, en désespoir de cause, les victimes vont recommencer ailleurs, quitte à se faire voler de nouveaux par d'autres étourneaux travaillant de concert selon leur habitude. En vérité, il est fort difficile aux Sittelles, Merles bleus et Pics de se loger tant que tous les couples d'étourneaux aux environs ne sont pas casés, ces immigrés prenant de force toutes les demeures qui leur plaisent.

Leur audace est incroyable. On les a vu chasser des Merles de leur pelouse préférée, mettre en fuite des Pics dorés et battre honteusement un petit Faucon dont ils avaient volé le nid. Ils tuent aussi force oiseaux chanteurs qui les gênent.

Ces exploits sont rendus possibles par leur esprit de coopération. Si les Etourneaux se querellent parfois entre eux, ils s'associent volontiers pour battre les autres, ce qui tendrait déjà à démontrer que le sens péjoratif attaché par les humains au mot *étourneau* ne s'applique pas à l'oiseau lui-même. Il ne faut pas être étourdi pour mener si bien ses affaires.

De fait, les étourneaux prospèrent admirablement sous nos climats. Ayant laissé leurs ennemis naturels en Europe ils ont la vie facile. Au printemps ils mangent force charançons, doryphores et autres insectes nuisibles, ce qui rachète un peu leurs défauts, mais à l'automne ils retournent dans la classe des indésirables en s'attaquant aux fruits et aux céréales. Voyageant alors en bandes ils constituent un danger sérieux pour les récoltes et méritent les coups de fusil qu'on leur adresse.

En lui-même l'Etourneau est un oiseau assez intéressant à étudier. Incapable de chanter il a cependant un grand talent d'imitation. Il répète les notes de plusieurs oiseaux, imite le pépiement du poulet, le cri de la pintade et le miaulement du chat. Pline prétend qu'on peut lui apprendre le latin et le grec, ce qui s'accorde encore mal avec sa réputation d'écervelé. Il est grégaire, batailleur et débrouillard, aussi dévoué à ses petits que féroce pour les petits des autres. On peut l'apprivoiser assez facilement.

L'ORIOLE DE BALTIMORE
(Icterus galbula)

Vulg. : Grive dorée.
Angl. : Baltimore Oriole.
L. 8 po.
Couleurs prédominantes : orange et noir.

QUAND les colons de Lord Calvert, second baron de Baltimore commencèrent à défricher les forêts du Maryland, ils remarquèrent avec joie, parmi les petits chanteurs qui visitaient les nouvelles clairières, un oiseau assez semblable au Loriot d'Europe, appelé *Oriole* en Angleterre du latin *aureolus,* doré. Dans l'enthousiasme des premiers jours ils s'empressèrent d'en envoyer la peau à leurs parents restés outre-mer, comme spécimen des belles choses que leur pays d'adoption pouvait avoir en commun avec la mère patrie.

L'une de ces dépouilles prit le chemin de la maison de Linné. Le grand naturaliste se rendit bientôt compte que les différences anatomiques rangeaient l'oiseau américain dans une autre famille que le Loriot d'Europe, mais par courtoisie pour le fondateur du Maryland dont les armes, par une heureuse coïncidence, étaient orange et noir, il lui garda son nom de genre. Il se contenta de donner à l'espèce le nom de Baltimore, faisant ainsi de l'oiseau un blason vivant.

Mais le nom que l'on donne à cette merveille ailée importe peu. Qu'on l'appelle *Loriot des vergers*, comme Lemoyne, ou « coucher de soleil qui chante », comme George Gladden, l'essentiel est qu'il nous visite chaque printemps, nous fasse admirer son habit de prince et nous régale de son chant bien rythmé. Nous lui pardonnons d'avance les fleurs qu'il déchire pour en extraire le nectar, les fruits qu'il suce de son long bec effilé et les petits pois qu'il dévore à temps perdu. Ces légers dégâts sont la rançon du plaisir qu'il procure par sa seule présence.

Celle-ci est d'autant plus souhaitable que l'Oriole est gros mangeur de chenilles au temps des nids et qu'elle se manifeste à une époque de l'année attendue avec impatience. En effet, le retour assez tardif de ces beaux oiseaux s'opère, sous notre rude climat, immédiatement après les dernières gelées de mai-juin. Les mâles qui précèdent les femelles sur les territoires de nidification, selon la règle établie dans le monde ailé, arrivent (on serait tenté de dire : éclosent !) avec les fleurs du prunier. Au calendrier rural ils marquèrent donc une date importante, celle où les fermières de Québec sèment leurs planches de légumes et sortent leurs plantes en pot. Le frileux Baltimore est le héraut du véritable printemps.

Le moment de sa venue est celui où notre être baigne dans la satisfaction du soleil retrouvé et le parfum grisant des premières fleurs. Mais le Baltimore ne semble pas tout d'abord partager le bonheur ambiant. C'est d'un ton inquiet, un peu triste, suppliant dirait-on, qu'il lance son premier appel amoureux à l'inconnue qui sera sa compagne. Heureusement pour nous, son hésitation dure peu. Aussitôt après la pariade éclate son chant d'amour, joyeux et pur. Sa voix, riche et flexible, lance des défis harmonieux, exprime des sentiments en roulades. Il siffle même en ramassant des matériaux pour le nid et en écheni llant le verger. Bref, il entre tout à fait dans l'esprit de la saison.

Ses talents de musicien et son bel habit de noces doivent éblouir sa compagne, beaucoup plus sobrement vêtue de gris et de brun lavés d'orange, et privée de voix. Elle semble se faire peu prier pour suivre son prince charmant. Pourtant, c'est à elle qu'incombe le plus dur travail. Pendant que son époux chante et lisse ses plumes chatoyantes c'est elle qui transporte les matériaux et tisse, en s'aidant du bec et des ongles, le berceau aérien dans lequel se balanceront, au haut d'un grand arbre, une demi douzaine de petits. Travail soigné, artistique, que l'on compare à celui des Tisserands, modèles du genre.

Ce nid-hamac dans la composition duquel entrent des herbes, des fibres de plantes, des cheveux et même des brins d'écorce, est suspendu à une branche supérieure, assez forte pour le porter, mais trop faible pour porter un chat. De forme oblongue il est muni, en haut, d'un orifice de diamètre variable, ménagé de façon que la pluie n'y puisse pénétrer. Bref, un petit chef d'oeuvre d'architecture, aussi distinct du nid en béton armé du Merle d'Amérique ou du matelas d'arêtes du Martin-Pêcheur qu'un temple grec peut l'être d'une usine allemande.

Dans cette demeure, à la fois chaude et bien aérée, les quatre à six petits éclosent au bout d'une douzaine de jours et réclament leur pitance. De fait, ils la réclament jusqu'au départ du nid. Ils ont la réputation d'être les plus braillards des oiselets américains.

Ce n'est pourtant pas la faute des parents qui s'emploient de leur mieux à les gaver d'insectes qu'ils récoltent surtout sur les arbres. Le mâle, lui, besogne si fort qu'il en perd la voix,

Mais il continue d'aimer la musique. Souvent les accords d'un piano l'attirent près de la maison. On le voit voleter de fenêtre en fenêtre, très excité.

On l'attire aussi en imitant son sifflet. Généralement il n'est pas loin. Cet amateur de clairières, de bords de route et de vergers est un voisin amical.

Malheureusement, il ne reste pas longtemps avec nous. Dès que les petits commencent à voler le vieux couple cherche un coin où subir l'une des nombreuses mues auxquelles l'espèce est soumise. Et phénomène rare chez des oiseaux aussi richement vêtus, ils reprennent des habits de même couleur. Sans doute pour être moins remarqués parmi la faune multicolore du Mexique et de l'Amérique centrale qui les absorbe pendant les mois d'hiver.

LE GOGLU

(Dolychonyx oryzivorus)

Vulg. : **Ortolan de riz (Fr).**
Angl. : Bobolink, Rice Bird.
L. 7.25 po.
Couleurs prédominantes : noir, blanc et jaune.

LE type du gentleman-cambrioleur, cher aux auteurs de romans policiers, a sa réplique dans le monde animal. Le beau garçon chic, brillant, favori des salons, qui quitte un bal de charité pour aller dévaliser un coffre-fort, après avoir troqué son habit et ses souliers vernis contre une blouse grise et des espadrilles, n'est guère plus original que notre Goglu, modèle de vertus en été et pillard de récoltes en hiver. Tous deux mènent une vie en partie double avec cette différence que l'oiseau est inconscient du tort causé à l'homme.

D'ailleurs nous n'avons pas à juger la conduite du Goglu puisque nous ne souffrons pas de ses méfaits : l'aimable bandit opère aux Etats-Unis. Chez nous il ne montre que le côté attrayant de sa double nature. C'est vêtu de son plus bel habit qu'il vient nous régaler de son chant d'amour, le plus franchement joyeux de l'Amérique du Nord, et, tout en donnant le spectacle de son dévouement paternel, nous aider à défendre nos moissons contre les insectes.

Mais l'habit qu'il passe en février, et sur lequel est jeté un manteau jaunâtre qui s'use au cours du voyage, pourrait éveiller les soupçons de détectives amateurs. Il n'est pas comme les autres. Généralement, les oiseaux s'habillent de pâle en-dessous et de sombre en-dessus. Le Goglu mâle fait le contraire; il se garnit le ventre de plumes noires et le dos de taches blanches, puis il se coiffe d'un *bouton d'or* cueilli au passage. La femelle s'habille de jaunâtre, rayé de brun sur la poitrine, costume qu'adopteront ses petits la première année.

La vérité, c'est que le Goglu ne cherche pas à se cacher au printemps. Il a d'autres soucis en tête. Il lui faut chanter son bonheur, réclamer un territoire, se mettre en ménage. A ce moment il déborde de vie et la prairie où il a choisi de s'arrêter, si grande soit-elle, ne peut contenir son coeur. Comme celui de l'Alouette cornue le ciel lui-même a peine à le loger. Le Goglu s'y élance fréquemment pour y égrener son chant très personnel, vibrant comme le cristal heurté, véritable cascade de notes claires et joyeuses. Puis il descend sur le sol courtiser la femelle, bombe la poitrine, étale ailes et queue, esquisse un pas de pavane et retourne dans l'azur ou sur un perchoir où il épanche à nouveau son âme d'artiste.

Avant l'arrivée des femelles les mâles se réunissent parfois à sept ou huit et chantent en choeur. Ces concerts qui sont parmi les plus beaux de la saison printanière, ne durent malheureusement que quelques jours.

Pendant que la femelle couve dans un nid d'herbe, au ras du sol, quatre à sept oeufs de couleur variable, le mâle chante encore pour elle, et peut-être pour lui, les plus beaux airs de son

répertoire. Son rôle n'est pas aussi passif qu'il le paraît d'abord :
tout en chantant il surveille les environs et en cas de danger il
s'offre le premier aux coups. Il se peut aussi que son chant
éclatant ait pour motif secret de tromper sur l'emplacement
véritable du nid. En faisant croire qu'il est tout proche le
chanteur engage les intrus sur une fausse piste. Si tel est le
cas la ruse serait aussi généralisée chez les mâles que celle qui
consiste, chez les femelles, à ne jamais aborder le nid directement, mais à s'y rendre par des voies détournées et cachées.

Quoi qu'il en soit la carrière artistique du mâle touche à sa
fin. Bientôt il parcourra les champs en quête de sauterelles,
criquets et autres insectes dont il nourrira ses petits, payant
ainsi au centuple notre hospitalité. Absorbé par ses devoirs
de père nourricier il n'aura guère le temps de chanter. Et
puis, les jeunes quitteront le nid un peu trop tôt comme d'habitude et la femelle, délivrée de ses soucis, l'entraînera dans quelque coin discret où s'effectuera la seconde mue de l'année.

Le mâle Goglu en sortira transformé. Sa belle voix de té-
nor sera devenu un faible *chink, chink* métallique, semblable à
celui de la femelle; son habit de concert, noir et blanc, dispa-
raîtra sous un manteau couleur de muraille comme dans les
romans-feuilletons. Si bien qu'on le distinguera difficilement
de sa compagne, elle-même assez semblable à un gros moineau.
En vérité, c'est bien un autre oiseau que la mue nous rend :
Maître Goglu, ménestrel des prés, bon père de famille et auxiliaire du cultivateur a vécu. Son terne successeur est le pillard
de grain qui fera bientôt rager les fermiers américains.

Mais il nous épargne le spectacle de sa déchéance. Avant
de succomber à la tentation et de gâcher la bonne opinion que
nous avons de lui il nous quitte, en plein été. Un beau soir il
disparaît, aussi mystérieusement qu'il était venu.

Au fond, son départ prématuré est motivé par la longueur
de chemin qu'il lui faut parcourir avant de rejoindre ses quartiers d'hiver. Le Goglu est notre oiseau chanteur qui hiverne
le plus loin. Oiseau des champs il va chercher les grands es-
paces découverts qu'il affectionne jusque dans la Pampa argentine.

Naturellement, il s'y rend par étapes. De marais en marais,
parfois en longeant le bord de la mer, il gagne l'un des rendez-

vous de l'espèce, en Louisiane, pour de là rejoindre la Floride
où sa bande se divise en trois troupes : l'une tire vers la Jamaïque, l'autre vers le Brésil et la Bolivie, la plus hardie vers le
Paraguay et l'Argentine. Cette dernière effectue dans l'année
un voyage de plus de 15,000 milles.

En cours de route le Goglu change plusieurs fois de nom.
Goglu il ne l'est qu'au Canada-Français. Dans le nord des Etats-
Unis et chez nos voisins d'Ontario il troque ce nom un peu go-
guenard pour l'appellation affectueuse de *Bobolink*. C'est que,
malgré ses moeurs déjà louches, il possède encore beaucoup
d'amis. Mais quand, à l'aller comme au retour, il s'abat par
troupes de plusieurs milliers d'individus dans les rizières du
Texas et de la Louisiane, il n'est plus que le *Rice Bird* ou Ortolan de riz, nom exécré. A titre de représailles on le chassait
autrefois, car sa délicieuse petite carcasse était fort recherchée
par les gourmets de New-York, Paris et Londres. Désormais
la Loi des oiseaux migrateurs protège ce magnifique musicien
qui tourne mal en hiver.

Les individus qui, après s'être engraissés en Louisiane, prennent le chemin de la Jamaïque, reçoivent à l'arrivée le nom
d'oiseau-beurre (Butter Bird) et les coups de fusil des habitants
qui recherchent leur chair grassouillette. Et il est permis de
croire qu'après un autre baptême le Goglu reçoit un accueil
aussi chaleureux dans les pays de l'Amérique du sud, car en
dehors de la saison des nids il est surtout granivore.

Mais cet oiseau remarquable, apparenté d'un côté aux Pinsons, l'est de l'autre aux Corneilles. Il a dû apprendre de
cette dernière famille, qui jouit avec raison d'une grande réputation d'astuce, quelques bons moyens de sauvegarder sa peau
trop appétissante, car il nous revient fidèlement chaque année
et « tel un météore sonore traverse l'air d'un pré en laissant un
train de notes clinquantes derrière lui ». (Thoreau).

LE JASEUR DES CÈDRES

(Bombycilla cedrorum)

Vulg. : **Récollet.**
Angl. : Waxwing, Cherry Bird, Silk tail.
L. 7.19 po.
Couleur prédominante : brun clair.

QUAND cet oiseau apparut la première fois dans une clairière laurentienne les pionniers français ne reconnurent pas en lui le proche parent du Jaseur de Bohême, espèce européenne qui compte quelques représentants en Amérique. C'est pourquoi, au lieu de lui donner comme d'habitude le nom d'un oiseau du Vieux Continent, ils le gratifièrent d'une appellation pittoresque. Frappés par la couleur brune du manteau et surtout par la huppe en forme de capuchon ils établirent aussitôt un rapprochement avec la robe des premiers missionnaires canadiens et le baptisèrent *récollet,* nom que leur filleul porte aussi incongrûment qu'un moine porterait le nom de *jaseur.*

Car, pour qui connaît le sujet, la comparaison est aussi plaisante que superficielle. La vie du Récollet ailé n'a rien

de monacale. Quant à l'uniforme lui-même il n'est guère régle-
mentaire. D'une coupe impeccable, taillé dans une matière
soyeuse, agrémenté d'un gilet safran et bleu ardoise, de man-
chettes jaunes aux rectrices et de perles de cire rouge sur le
bout des ailes, il offre un étrange contraste avec la robe d'étoffe
grossière que portent les disciples de Saint-François. Et quel
moinillon oserait mettre sur sa tête ce coquin de capuchon
que le Jaseur porte de côté pour exprimer le contentement, à
plat quand il est effrayé, et pointé vers le ciel lorsqu'il est étonné ?

Non, vraiment ! le Récollet est trop mondain pour être mis
dans les ordres. Il suffit d'ailleurs de l'observer pour se rendre
compte qu'il n'a jamais prononcé de vœux austères, qu'il est
plutôt l'oiseau bon vivant, l'équivalent dans le monde aérien
du gentleman aux goûts cosmopolites.

Il habite plusieurs pays sans qu'on sache au juste auquel il
appartient. Son nid, fait de brindilles, d'herbes et de feuilles
assemblées au petit bonheur est largement aéré et laisse supposer
une origine tropicale, mais comme le Récollet est à l'aise partout
où nous le rencontrons nous pouvons supposer qu'il est partout
chez lui. Tel le lord anglais, qui, sous tous les climats, se compose une petite Angleterre avec une baignoire, un golf, du
whisky et une dose d'ennui, il est de toutes les contrées où
règne l'abondance et où il peut se livrer au plaisir quotidien
du bain.

Car ce vagabond vêtu comme un prince et d'allure dis-
tinguée semble avoir deux soucis principaux : la parfaite or-
donnance de sa mise et la satisfaction de son estomac. La
vanité et la gourmandise sont ses défauts mignons. Le miroir
d'une source lui a appris qu'il est beau, que ses moustaches de
velours noir sont d'une élégance suprême; et son appétit, il le
sait par expérience, est insatiable. Quelques minutes après
s'être gorgé il est prêt à recommencer un banquet d'insectes
ou de fruits. De fait, cet oiseau peut dévorer son poids de
nourriture en 24 heures, quitte lorsqu'il est gavé, à ne pouvoir fuir un danger menaçant.

Pour contenter ce glouton il faut donc une abondance de
bonnes choses. Le Récollet les trouve en se déplaçant souvent,
d'où ses errances. S'il nous arrive en retard, s'il n'a qu'une

couvée par année, c'est qu'il a trop d'invitations à dîner à partir du jour où il quitte le Mexique ou l'Amérique centrale pour nous rendre une visite toujours trop courte.

Cette gourmandise, voulue par la Providence, sert nos intérêts lorsqu'elle s'exerce, au printemps et au début de l'été, sur les insectes nuisibles du verger. Les Récollets étant sociables et grégaires en tout temps, hors celui de la nidification, leur troupe silencieuse et énergique a vite fait de nettoyer un bouquet d'arbres de ses parasites. Il a été calculé que trente récollets détruisent 90,000 vers à pommes en une saison. Les parents en font souvent une bouillie, qu'ils régurgitent, comme toute autre nourriture, à leurs petits. Les Récollets mangent aussi force sauterelles, criquets, papillons, punaises, poux et petits coléoptères qu'ils capturent sur le sol, dans les arbres ou au vol. On a même vu ces gourmands attraper des flocons de neige, considérés sans doute comme des sorbets digestifs après un repas pantagruélique.

Mais en dépit des services qu'il rend comme auxiliaire le Récollet est surtout connu comme mangeur de cerises et de *merises*. Il en mange tant qu'elles durent et semble ne jamais s'en rassasier. De plus, son système digestif fonctionne si bien qu'il élimine aussitôt les noyaux pour ne conserver que la pulpe des fruits. Dans ces conditions on imagine avec quelle aisance une troupe de Récollets dépouille un cerisier de jardin quand les merises sauvages, toujours préférées, viennent à manquer aux environs. Et tant pis si ces cerises sont trop mûres, si la chair sucrée fermente dans l'estomac. La gourmandise du Récollet va jusqu'à l'ivresse inclusivement et il lui arrive quelquefois de rouler à bas de son perchoir comme un ivrogne de sa chaise.

Ce défaut grossier s'accorde mal avec le soin que prend l'oiseau de sa mise, la gentillesse de ses manières et la discrétion de sa voix qui s'élève rarement au-dessus du murmure. Il est vrai qu'il est racheté par des qualités solides :

Lorsque ce joyeux flâneur de Récollet se décide enfin à se mettre en ménage, vers juin-juillet, il apporte à l'exécution de ses devoirs de parent la même énergie et le même zèle qu'à la satisfaction de ses instincts moins nobles. En quelques jours un arbre isolé est choisi, le nid est bâti à une hauteur variant de quatre à quarante pieds, et 4 à 6 oeufs bleu pâle ou verdâtres tachetés de noir sont pondus. Puis le mâle et la femelle les couvent à tour de rôle pendant deux semaines environ et après l'éclosion, nourrissent leurs petits avec un dévouement inlassable. Ils les défendent aussi avec beaucoup de bravoure.

C'est aussi pendant la pariade que le Récollet révèle la douceur et le charme de son caractère. Affectueux et tendre il caresse sa compagne, lisse ses plumes, lui apporte des friandises et frotte son bec contre le sien. Pendant la construction du nid ils bavardent ensemble et donnent le spectacle d'un petit couple uni par un sentiment fort et partagé.

Cet heureux ménage n'est pas égoïste : il y a de nombreux exemples de Récollets adoptant les orphelins d'autres oiseaux et en particulier ceux du Merle. Façon exquise de s'acquitter des emprunts de matériaux que les Récollets font parfois aux nids de leurs voisins ou sympathie naturelle pour d'autres errants ? Qui nous le dira ?

Une fois les petits élevés la famille reprend les habitudes grégaires et vagabondes de l'espèce, mais sans perdre ses jolies manières. Le Récollet est toujours un oiseau discret et bien élevé. Lorsqu'il se pose avec ses congénères dans un arbre fruitier, ces restaurants des oiseaux, il ne se précipite pas goulûment sur la nourriture. Malgré sa gourmandise bien connue il se tient bien à table et offre volontiers les plats aux convives moins bien placés; en d'autres termes ces oiseaux font quelquefois la chaîne et se passent les fruits de bec à bec.

Il est vrai que ces politesses se font généralement quand la faim est apaisée, mais il est également vrai qu'on ne voit jamais les Récollets se bousculer comme certains humains autour d'un buffet froid. Alors même qu'il cède à son principal défaut le Récollet demeure un gentilhomme.

Et puis, en mangeant force fruits il en répand la graine. Il faut donc voir dans le Récollet une sorte de symphonie en brun, créée pour l'enchantement des yeux, mais aussi pour la limitation des insectes nuisibles et la propagation des arbres utiles.

Autrefois on interprétait son passage comme un signe de guerre ou d'épidémie; nous savons aujourd'hui que le Récollet n'est pas plus redoutable qu'un fils de famille, forcé par des revers de fortune à se mettre placier en graines, et dont la seule déformation professionnelle est le goût du voyage.

LE MERLE BLEU
(Sialia sialis)

Vulg. : **L'oiseau bleu, Rouge-gorge bleu.**
Angl. : **Blue Bird.**
L. 7.01 po.
Couleur prédominante : bleu.

ENTRE tant d'oiseaux qui nous visitent ou partagent notre vie à cours d'année, nul n'est plus attrayant, plus digne de notre affection, que ce lambeau d'azur volant. Il a tout pour lui : beauté, voix, caractère et utilité. C'est l'oiseau type, le héros des légendes et l'inspiration des poètes. Symbole du bonheur il évolue dans nos rêves riants. Celui-là, personne ne songe à le mettre en cage; on sent bien que ce serait une sorte de profanation.

La science nous dit que sa couleur est un trompe l'oeil; que ses plumes sont brunes, mais recouvertes comme chez les autres oiseaux de même teinte, de cellules prismatiques qui reflètent les rayons de lumière bleue. Peu importe ! malgré sa poitrine rousse, très apparente chez les mâles, et son ventre gris, il demeure l'Oiseau bleu, celui dont les Navajos ont fait le messager du soleil. Tant pis pour le Bruant indigo, vêtu de bleu de la tête à la queue, qui mériterait davantage le titre : Il n'en tenait qu'à lui de se montrer aussi confiant que notre ami, au lieu de se cacher comme il le fait.

Car — et c'est là l'un de ses grands charmes — le Merle bleu semble aimer notre société. Autrefois, avant qu'on ait eu la sottise d'importer en Amérique moineaux et sansonnets, (ses pires ennemis avec l'Epervier), il s'arrêtait volontiers près de nos demeures et surtout dans les vergers. On prétendait même que son chant faisait éclater de joie les fleurs de pommier. Mais le Moineau a commencé par lui faire la guerre, puis le Sansonnet est venu voler les cavités qu'il se réservait dans les arbres creux et les piquets de clôture. Battu et volé le bel oiseau s'est éloigné de plus en plus des maisons, si bien qu'en plusieurs endroits il est devenu hôte de passage. Comme toutes les belles choses il est fugitif. C'est pourquoi il faut profiter de chaque moment qu'il nous accorde.

Ils sont d'ailleurs bien choisis. Au printemps, quand nous guettons l'arrivée des oiseaux chanteurs, il bat souvent son cousin le Merle d'Amérique, dans la course de retour. Un matin d'avril sous un ciel calme, nous l'entendons égrener son chant tendre et sentimental, et nous croyons au renouveau.

Hélas ! ces premiers mâles qui nous arrivent sont parfois entraînés trop loin par leurs désirs. Le froid les surprend, et, comme ils sont frileux il leur faut retourner ou périr.

Il est d'ailleurs à noter que les Merles bleus qui nous visitent sont en quelque sorte des aventuriers, puisque l'espèce habite en permanence le sud des Etats-Unis. C'est là, et même jusqu'au Guatemala, que nos individus retournent à l'automne, quand nous les voyons passer par petites bandes, seuls ou mêlés à d'autres oiseaux, et qu'ils éveillent en nous la nostalgie des beaux jours.

Entre cette arrivée joyeuse et ce départ attristant le Merle bleu vit sa vie d'oiseau dans toute sa plénitude :

Tout en voletant de piquet en piquet et d'une branche dénudée à une autre branche, le mâle choisit, en arrivant, le site de son premier nid, et délimite son canton. Son chant, qui sonne à nos oreilles comme une musique de joie et d'amour, n'est encore qu'un défi de vanité et une proclamation de droits. Il provoque d'ailleurs maintes querelles entre mâles jusqu'à la pariade qui coïncide avec l'arrivée des femelles, quelques jours plus tard.

Celles-ci sont un peu plus petites, d'un bleu plus terne mais, phénomène rare chez les oiseaux, plusieurs d'entre elles ont de la voix. Elles semblent avoir aussi leur petit caractère. Il leur arrive de se battre pour les beaux yeux mouillés d'un mâle, quitte à s'apparier avec un autre avant la seconde couvée habituelle. Dans ce cas l'abandonné donne une belle-mère à la première nichée et tout le monde paraît content.

Bien que certains individus soient assez volages et qu'on ait vu des mâles flirter avec des canaris de l'autre sexe, ces échanges de compagnons sont accidentels. D'habitude les époux restent fidèles l'un à l'autre durant la saison et s'entr'aident gentiment.

Au début du ménage, pendant que la femelle s'emploie à construire un nid avec des tiges, des écorces et des herbes fines, le mâle chante sa joie à l'espace. Il monte une centaine de pieds, se laisse retomber sur son perchoir et proclame son bonheur en notes cascadantes. A cette époque il est fort galant; il apporte des friandises à sa compagne et la regarde manger avec des yeux qui nous semblent remplis de tendresse. Il est aussi fort brave. Il tient tête aux niveaux possibles et aux intrus. On a même vu un individu attaquer et mettre en fuite un chat, exploit aussi extraordinaire au royaume des oiseaux que tel fait d'armes qui mérite une croix Victoria.

Pendant que la femelle pond ses quatre à six oeufs bleu pâle son compagnon chante encore pour la distraire; mais quand les petits sont nés, au bout de douze jours environ, qu'ils reposent nus et impotents dans leur berceau végétal, il devient un père sérieux. Il le faut bien puisqu'aussitôt les premiers soins donnés, la femelle décide d'élever une seconde famille et abandonne pratiquement la première à ses soins. C'est lui qui embèque les petits et enlève les excréments du nid pendant que la femelle prépare un second *home*.

Celui-ci, comme le premier, est généralement une cavité dans un arbre, un trou de pic ou une fente de rocher, mais parfois il est établi dans une boîte postale et souvent dans une maisonnette d'oiseau. Ce dernier choix nous aide même à garder quelques couples de Merles bleus avec nous en nous permettant de faire la police des logis que nous mettons à leur disposition, c'est-à-dire d'en éloigner les Moineaux et les Sansonnets. Tous les mâles azurés ne sont pas de la trempe de celui que je vis arpenter la véranda miniature d'une maisonnette et se battre tout un jour sur le perron, pendant que la couveuse, à l'intérieur, l'encourageait de la fenêtre.

Au bout de 15 à 19 jours les petits, qui ont la poitrine grivelée, quittent le nid. Leurs ongles très acérés à ce moment facilitent l'escalade des parois lisses. Les premiers nés sont sans doute ceux qui partent en août. La seconde couvée part avec les adultes en octobre.

Tant qu'ils restent au Canada les Merles bleus se rendent utiles en consommant force insectes. Ils nourrissent leurs petits d'un tas de sales petites bêtes dont nous nous passons bien volontiers et en août les sauterelles entrent pour 50% dans leur régime alimentaire. Ils mangent aussi des fruits sauvages, mais ne commettent jamais de dégâts dans nos jardins.

Ils sont pourtant de ceux avec qui nous partagerions volontiers les bonnes choses que nous faisons pousser, leur seule présence à nos côtés étant d'un prix inestimable. Tout ce que nous faisons pour eux, ils nous le rendent en beauté, en charme et en espoir. Le Merle bleu n'est-il pas l'oiseau qui nous crie, au moment du départ, cette onomatopée empreinte d'une profonde sagesse et qui nous fait patienter durant notre long hiver : « *Tout-revit ! tout-revit !* »

LE PHOEBÉ
(Sayornis phoebe)
Angl. : Pee wee, Eastern Phoebe.
L. 6.99 po.

ET

LE MOUCHEROLLE TCHEBEC
(Empidonax minimus.)
Angl. : Least Flycatcher.
L. 5.25 po.
Couleur prédominante : gris verdâtre.

VERS cette époque du printemps où nos pommiers se couvrent d'une neige fleurie arrivent du Mexique, de l'Amérique centrale ou des Antilles les mâles Phoebé, en avance de quelques jours sur leurs compagnes. Ils s'annoncent eux-mêmes en sifflant : *piouit phoebé, piouit Phoebé,* onomatopée qui exprime les sentiments de tous les oiseaux au début de la saison des nids, mais à laquelle il nous plaît d'attribuer un sens particulier. Nous voulons croire qu'en plus des défis aux rivaux et de l'affirmation de ses droits de propriétaire le Phoebé tire de son gosier des accents de reconnaissance. Il nous remercie de lui avoir composé un nouvel habitat, d'avoir ouvert à son espèce une sorte de Terre Promise :

Autrefois, ce *moucherolle* habitait les solitudes. Il bâtissait sur les falaises, dans le dangereux voisinage des oiseaux de proie, son nid de boue et de mousse. Puis l'homme est venu avec sa hache qui ouvre les clairières, ses moissons qui attirent les insectes et ses constructions qui offrent de si nombreux avantages. Il a jeté sur les ruisseaux et les rivières des ponts qui sont des abris sûrs et ailleurs — près de l'eau toujours, — il a construit de grosses boîtes de bois où il enferme pendant quelque temps ses récoltes, puis abandonne aux oiseaux. Autrement dit ses travaux d'art et ses bâtiments ont permis au Phoebé, moucheronneur professionnel et baigneur enthousiaste, de se loger sur son territoire de chasse et d'avoir sa baignoire privée à l'entresol.

Le Phoebé a été séduit par ce confort. Il a commencé par émigrer, puis il s'est abandonné complètement à la douceur de la civilisation. Et il est arrivé ce qui arrive toujours en pareil cas : il a payé de quelques vertus l'acquisition de son bien-être. A notre contact il a perdu son ancienne maîtrise à camoufler son nid, (aujourd'hui fort apparent), un peu de son sens d'observation et beaucoup de méfiance naturelle. Maintenant, quand le mâle a fait sa cour en tournoyant au-dessus de la femelle et que le moment est venu de préparer le berceau de la première couvée, le couple ne s'embarrasse guère de choisir des matériaux dont la couleur s'harmonise avec celle du site. Il prend son mortier dans la première terre boueuse rencontrée et garnit le nid de ce qui lui tombe sous le bec : laine de mouton pendant aux barbelés, plumes, mousse du ruisseau ou herbes fines. Parfois, il ne se donne même pas ce mal; il s'empare simplement du nid abandonné par l'Hirondelle ou le Merle, autres bons ouvriers maçons.

Quand *elle* construit (puisque la femelle seule assume la tâche, son frétillant époux se contentant de balancer la queue d'un air satisfait et de l'encourager de ses cris) il lui arrive de ne pas reconnaître son premier chantier et de commencer plusieurs nids, ses apports de boue allant de l'un à l'autre. Ces erreurs, qui tendraient à démontrer que l'espèce n'est pas encore tout à fait adaptée à son nouvel habitat, se produisent surtout quand le choix de l'emplacement s'arrête sur l'une des pièces en saillie d'un pont ou d'un bâtiment. Comme ces pièces se ressemblent toutes et sont espacées de façon régulière la Phoebé se trompe, va de l'une à l'autre et éparpille ses matériaux.

En plus de ces faux nids la Phoebé en construit un autre, en juillet généralement, qui sert à élever sa seconde couvée de 4 à 6 petits. D'habitude elle détruit le premier, ce qui est une excellente mesure d'hygiène étant donné que les Phoebés, déjà peu soigneux de leur nature, ont la mauvaise habitude de garnir leurs nids de plumes de volailles et que les poux de poulaillers non seulement prospèrent chez eux, mais très souvent tuent leurs petits.

Comme le premier, ce nid est souvent construit dans un endroit bizarre : à l'intérieur d'un puits, sous un pont de chemin de fer, dans un hangar ou une galerie de mine. Pourvu qu'il soit à l'abri de la pluie la femelle s'en contente. Le va-et-vient des hommes autour d'elle, le passage des trains sur sa tête ne l'effraient pas. Une fois pour toutes elle a fait confiance au dieu tutélaire qui fournit à son espèce de si bons parapluies.

Cette naïveté doit nous attacher davantage au Phoebé qui est, d'autre part, un oiseau fort utile. On lui reproche seulement de pêcher quelques alevins de poissons-gibier. Ces rares incursions dans le domaine du Martin-pêcheur sont d'ailleurs compensés par ses exploits à la chasse aux moustiques et autres insectes nuisibles. Perché sur une branche ou le parapet d'un pont il attend le passage de ses proies habituelles et les cueille très proprement au vol, en claquant du bec. Dans son zèle de chasseur il se lève même avant l'aube pour attraper les insectes nocturnes retardataires et ne se couche qu'à la nuit.

A l'instar des autres Moucherolles celui-ci ne tolère pas les Corneilles ou les Eperviers aux environs de son nid; mais il est loin de manifester la même pugnacité que son cousin le Tritri. Ses attaques sont assez molles et de toute évidence il préfère chasser plus petit gibier.

Le Phoebé est un oiseau de la campagne. Nous le voyons rarement en ville, mais il vaut la peine qu'on se dérange pour le regarder travailler. On le trouvera, sans trop de recherches, probablement près d'un pont ou d'un ponceau, la queue agitée de secousses nerveuses et ses yeux noirs, piqués dans sa tête carrée, surveillant les passants aériens d'un air supérieur.

Son cousin, le Moucherolle tchébec *(Empidonax minimus)* porte le même habit verdâtre et partage en grande partie ses moeurs. Il se distingue par sa taille minuscule, étant le nain de la famille, et surtout par son cri métallique : *chebec.*

C'est le moucherolle qui nous arrive le premier au printemps. En avril-mai la femelle construit sur une fourche d'arbre, à une hauteur variant de huit à quarante pieds, un nid solide composé de fibres végétales, de toiles d'araignées et de cocons d'insectes. Les matériaux, déposés en vrac, sont ensuite pressés, puis la petite poitrine blanchâtre donne au nid sa forme de coupe. Ce travail terminé, au bout de six à huit jours, la femelle pond, à raison d'un par jour (quelquefois deux) trois à six oeufs blancs qui éclosent en 14 jours.

Pendant l'incubation le mâle se contente de monter la garde et de s'égosiller en menaces. Avant de se mettre en ménage il a dû livrer de violents combats à tous ses rivaux, mais son ardeur belliqueuse n'est pas encore éteinte. Il est prêt à affronter l'Ecureuil, l'Etourneau et les bâtisseurs de nids au bec malhonnête qui volent les matériaux accumulés par la femelle. Hélas ! il est trop petit pour inspirer la crainte; ses cris incessants, ses poses altières, ses claquements de bec n'ajoutent pas une ligne à sa taille exiguë; et les pillards, corneilles en tête, l'ignorent sans vergogne.

Aussi, malgré sa bravoure naturelle, ne dédaigne-t-il pas la protection de l'homme. Il la recherche jusque dans nos villes et villages, bien que son habitat naturel soit le verger, les haies de champs et les petits bois ensoleillés où l'espacement des arbres facilite les évolutions de ce vivant piège à mouches.

Le Moucherolle tchébec n'est pas plus musical que les autres membres de sa famille et c'est dommage car, fait remarquer Chapman, « avec son sérieux et son application au travail, sans parler de ses autres qualités, il aurait pu, en dépit de sa taille minuscule, devenir un grand artiste. »

LE CHINGOLO OU PINSON À GORGE BLANCHE
(Zonotrichia albicollis)

Vulg. : **Le Frédéric, Petit Canada.**
Angl. : White throated Sparrow. Sweet Canada.
L. 6.88 po.
Couleurs prédominantes : brun et blanc.

CE fringille qui porte une demi lune sous le menton est chez nous un privilégié : il a échappé à l'anonymat. Alors que tant d'oiseaux plus brillamment vêtus sont encore affublés de l'appellation générique et méprisante de *moineau* il a reçu un nom vulgaire aussi pittoresque que peu descriptif.

Cette faveur il la doit à son chant d'amour dans lequel nos bûcherons et nos paysans ont cru distinguer une onomatopée amusante. L'expression musicale par laquelle le Chingolo entend défier ses rivaux et séduire sa compagne ils la traduisent par une admonestation que l'oiseau ferait à un personnage imaginaire. De sa voix, claire, qui résonne loin dans le silence des bois, il lui crierait : « Cache ton... (nez ?)... Frédéric, Frédéric. »

Il est vrai que d'autres, moins portés à ce genre de plaisan-
teries entendent : « Je t'aime bien, Ca-na-da, Ca-na-da », mais
cet hymne patriotique a moins de succès que la petite phrase
gauloise. Pour la majorité de nos gens le Chingolo demeure le
P'tit Frédéric. Et l'homme qui portage, le cultivateur qui labou-
re près du bois, sourient en l'écoutant.

La ressemblance du Chingolo à couronne blanche *(Lonotri-
chia leucophrys)* [1] avec le Chingolo à gorge blanche a amené
les parrains du second à faire un autre effort d'imagination.
S'inspirant du caractère physique le plus apparent, soit les dessins sur la tête, ils ont appelé le Chingolo à couronne blanche :
raie de charrue; terme presque offensant puisqu'il s'applique à
l'un des pinsons les mieux vêtus, au dandy des Chingolos. Malgré cette familiarité leur sympathie continue d'aller à l'autre,
au *P'tit Frédéric*, le *raie de charrue* étant sans doute considéré
comme un ambitieux cherchant à se faire passer, à l'aide d'un
manteau brun, pour son camarade mal embéqué.

La vérité, c'est que ces deux pinsons ont beaucoup de traits
communs. Tous deux habitent les taillis, nichent par terre
ou sur les arbustes bas, sont doués d'une jolie voix, mangent
quantité d'insectes et de graines nuisibles, et émigrent chaque
automne dans le sud des Etats-Unis. Mais outre que l'affection ne se commande pas, le Chingolo à gorge blanche a, sur
l'autre, la supériorité de vivre souvent à notre porte. Pour
peu que nous habitions près d'un bois nous entendons, matin
et soir, la petite phrase qui l'identifie, alors que pour écouter
le doux chant d'amour du Chingolo à couronne blanche il faut
pénétrer dans les lointains sous-bois. Ce dernier n'est donc pour
nous qu'un hôte de passage que balaie, avec les feuilles, le vent
d'automne, tandis que le Chingolo à gorge blanche est le compagnon journalier des hommes qui peinent, l'énigme musicale
que cherche à découvrir le promeneur.

Car, s'il est facile d'entendre le *P'tit Frédéric* au printemps,
le voir est une autre affaire. La Nature aime ces utiles petits
chanteurs; elle les camoufle avec soin. Leur manteau brun,
rayé de noir, de gris et de blanc, se confond avec les écorces,
les branchettes et les rais de soleil qui filtrent par les trous de
la ramure. Il faut un oeil exercé pour les distinguer de leur

---

(1) Voir vignette en regard.

entourage. Parfois, on a la chance de rencontrer le mâle perché sur le bord d'une piste ou la femelle, qui est marquée moins distinctement que son époux, couvant dans son nid de radicelles et d'herbes, garni de poils de cerf ou de lièvre, ses quatre à cinq oeufs bleuâtres; mais le meilleur moyen de voir le *Frédéric* est encore d'imiter son chant et de l'attirer près de soi.

En automne, aussi, quand il parcourt les champs en quête de graines d'*herbe à poux* et de baies sauvages, il est bien visible, mais comme il a mué après la nidification et qu'il est mêlé à d'autres fringilles à manteau terreux il faut l'oeil exercé du spécialiste pour le distinguer.

LE PINSON CHANTEUR
(Melospiza melodia)

Vulg. : **Rossignol.**
Angl. : Song Sparrow.
L. 6.30 po.
Couleur prédominante : brun.

S'IL était permis d'employer pour les bêtes les termes dont nous nous servons entre nous je dirais que cet oiseau a deux passions : l'eau et la musique. La première préside au choix de son habitat, la seconde embellit toute sa vie.

Lorsque le Pinson chanteur nous revient du sud des Etats-Unis, en avril-mai, l'un de ses premiers soins est de délimiter un territoire et de marquer les sites qu'il juge propres à la construction d'un nid. Il le fait en transportant quelques matériaux qu'il entasse sur une fourche d'arbre ou à terre. Geste purement conventionnel, car la femelle, toujours maîtresse au logis, choisit d'habitude un endroit différent. Mais cet endroit est toujours un terrain humide ou à proximité de l'eau.

C'est que le Pinson chanteur, tout le temps qu'il demeure avec nous, prend un bain froid quotidien au coucher du soleil. L'été il se baigne plusieurs fois par jour. Et si, par hasard, la nature néglige de remplir sa baignoire préférée ou si, pour une raison quelconque, l'accès d'une pièce d'eau lui est interdit, il fait ses ablutions, dans la rosée ou se douche sous les feuilles qui s'égouttent.

Cette hydrothérapie lui réussit à merveille. Il est robuste et héberge moins de parasites que la plupart des autres oiseaux. Il est aussi permis de croire que le traitement renforcit son larynx et permet à sa voix l'effort soutenu qui le caractérise. Ce Pinson chante pratiquement toute l'année et, au temps de la nidification, toute la journée. On a calculé qu'il pouvait lancer sa courte phrase musicale jusqu'à 300 fois en une heure.

Chaque fois il y met tout son petit coeur confiant et serein, donne la dernière note de son registre. Il semble bien que pour lui chanter n'est pas un simple rite de la reproduction, que dans les sons qu'il égrène du haut d'un arbre ou d'un poteau, il y a plus qu'un défi aux rivaux, un avertissement aux intrus et une aubade à l'élue. On croit y deviner un souci artistique, un amour de la musique qui s'excite très facilement, aux accords d'un piano, par exemple. Bref, il y a dans le chant de ce pinson une note intime et comme l'expression d'une personnalité vivante.

Certes, tous les Pinsons chanteurs, non plus que les autres chantres ailés, ne sont doués au même degré. Certains ont la voix plus pure, plus nuancée ou plus souple que d'autres; mais le fait que notre oiseau évoqua pour les premiers Français venus au Canada ce grand artiste européen qu'est le Rossignol, dit assez son talent et la qualité de sa voix. Sans avoir rejoint son maître du vieux continent, l'incomparable soliste de la nuit, il figure au premier rang de nos oiseaux musiciens avec cet avantage sur plusieurs rivaux que son chant n'est pas triste. On y retrace, paraît-il, une note d'optimisme incurable.

Tous les auteurs américains ont décrit la pose qu'il adopte pour lancer l'une des quatre ou cinq petites chansons qui composent le répertoire des meilleurs artistes de l'espèce : « tête renvoyée en arrière, bec pointé vers le haut, corps balancé sur les doigts bien écartés; » il semble, « dit l'un d'eux, » vouloir envoyer sa prière au ciel par la route la plus directe. »

Mais si cette prière est pleine de foi elle a rarement l'humilité qu'il lui faudrait. On y sent un peu de coquetterie et beaucoup d'art pour l'art.

Le Pinson chanteur courtise sa femelle en chantant, les mâles rivalisant d'harmonieuse beauté autant que de prouesses aériennes pour la séduire ; ce qui ne les empêche pas de se battre durement entre eux. Après la pariade, le mari continue à vocaliser pendant que sa compagne bâtit le nid, généralement placé par terre dans une touffe d'herbe, et couve ses quatre à cinq oeufs vert pâle. Il chante un peu moins lorsqu'il aide à nourrir ses petits, mais libéré de ce souci, il retourne à la musique. On peut l'entendre en toute saison et à toute heure du jour.

Comme beaucoup d'artistes il est capricieux. De même qu'il n'a pas d'endroit attitré où construire son nid il ne s'attache pas à une phrase répétée mécaniquement. Il aime les variantes et les improvisations. Hélas ! les mieux doués, c'est-à-dire les oiseaux de plus de 3 ans, ne finissent pas toujours la jolie chanson commencée. A l'instar de plusieurs oiseaux américains ils semblent ne pas savoir tirer tout le parti possible de leur voix ; ils manquent de culture musicale.

Tout en poursuivant son rêve mélodieux le Pinson chanteur élève deux, trois et quelquefois quatre familles par année. Nous savons que les soucis du ménage lui pèsent peu, mais la principale raison de cette fécondité est sans doute ailleurs : le Pinson chanteur a de nombreux ennemis contre lesquels son courage naturel ne le défend pas toujours. Construisant son nid à terre il est exposé aux attaques de la Couleuvre, des petits rongeurs, du chat et, naturellement, des Geais et des autres pilleurs de nids. La plupart du temps la première ponte est détruite ou volée, et très souvent ce n'est qu'au milieu de la saison, après deux ou trois pontes, qu'il réussit à se composer une famille. Sa persévérance est d'ailleurs récompensée, car l'espèce se maintient bien et tend à augmenter en nombre.

Il faut s'en réjouir, car le Pinson chanteur est l'un des plus charmants voisins que l'on puisse souhaiter. On l'attire facilement avec une baignoire pour oiseaux et il s'apprivoise jusqu'à venir manger dans la main. Il est aussi très fidèle à revenir aux lieux hospitaliers qui l'ont accueilli. Enfin, c'est un

amateur des jardins. Il les fréquente surtout pour y trouver
les nombreux insectes nuisibles dont il nourrit ses petits, mais
aussi, peut-être, parce que le beau l'attire et que la musique
fait excellent ménage avec les fleurs.

On reconnaît le Pinson chanteur à la tache sombre qu'il
porte au milieu de la poitrine, le Moineau ayant la sienne, qui
est plus grosse, sur la gorge. Quant à distinguer les deux sexes
c'est plus difficile, car leur plumage se ressemble. Nous n'avons
pas, comme le mâle pinson, la ressource de nous précipiter sur
l'inconnu et de guetter sa réaction : fuite, si c'est un mâle, ac-
croupissement accompagnée d'un petit rire : *ii, ii, ii*, si c'est
une femelle. Devant nous les deux sexes fuient de la même
façon. Le plus simple est donc de faire en sorte que tous deux
demeurent au moins à portée de l'oreille, afin de pouvoir s'en-
chanter de leur musique.

HY/40.

LE SOULCIET DU CANADA OU PINSON HUDSONIEN
(Spizella arborea)

Vulg. : **Moineau.**
Angl. : Tree Sparrow.
L. 6.25 po.
Couleur prédominante : brun.

HUMBLE, rustique, serviable, le Soulciet appartient au groupe méconnu des mangeurs de mauvaises graines. Il est de l'équipe des picoreurs en blouse brune ou grise, ouvriers de la onzième heure qui viennent travailler aux champs quand les croqueurs d'insectes sont déjà en villégiature dans le Sud.

Son habitat est le désert septentrional. C'est là qu'il construit sur le sol ou dans un arbuste le nid d'herbes sèches et de mousses, garni de plumes, ou sont élevés tendrement de trois à cinq petits. C'est là qu'il demeurerait sans doute toute l'année, étant protégé du froid par un épais sous-vêtement de graisse, sans les menaces de disette. Il n'a que faire d'une belle nappe blanche sans vivres dessus. C'est pourquoi, quand la neige commence à tourbillonner là-haut, il réunit sa famille et ses voisins et, se joignant à une bande de Juncos ou de Bruants, emprunte la piste des *brûlés* et des champs incultes qui mène au centre des Etats-Unis.

Il voyage à loisir, car il peut satisfaire facilement ses goûts modestes. Une colonie de chiendent ou de *verges d'or* contente son appétit, une haie d'arbustes, un ravin abrité le loge plusieurs nuits. Parfois, lorsque la glane dans les prés ou sur le bord des routes ne rend pas assez, il s'approche des granges et recueille les graines de mil qui traînent devant la porte. Ces miettes d'abondance lui suffisent et il gazouille joyeusement en les ramassant.

Il va même jusqu'à chanter en plein hiver, étant musicien comme tous les Pinsons, mais sa voix, très douce, se perd généralement dans les taillis dénudés. Très peu de personnes se dérangent pour l'écouter. Aux yeux de la majorité il n'est qu'un moineau, c'est-à-dire une sorte de petit parasite que l'on tolère, mais qui ne commande que l'indifférence.

Les initiés le reconnaissent à son bec, qui est noir en-dessus et jaune en-dessous, aux taches noires qui mouchètent sa poitrine grisâtre, aux deux barres blanches qui raient ses ailes et à la teinte plus rousse de son dos. (Il est le seul des Fringilles à arborer cette combinaison de couleurs). Et ils le saluent d'un geste amical lorsque, bien au chaud dans son lard, un bout de chanson au bec, il passe près d'eux, en route pour la moisson d'hiver, celle des graines de mauvaises herbes. Elle est beaucoup plus importante qu'on ne le croit généralement et le Soulciet plus utile qu'on veut bien l'admettre, s'il est vrai, comme l'assurent les biologistes américains, que son espèce consomme chaque année 3,000 tonnes de graines nuisibles.

LE VIREO AUX YEUX ROUGES
(Vireo olivaceus)

Vulg. : **Vireon.**
Angl. : Vireo, Greenlet, Preacher Bird.
L. 6.23 po.
Couleur prédominante : gris verdâtre.

LA famille américaine des Vireos, apparentée d'une part
aux Pies-grièches et d'autre part aux Fauvettes sylvestres, compte au moins trois représentants chez nous : Le Vireo aux yeux
rouges *(Vireo olivaceus)*, le Vireo à tête bleue, ou Solitaire
(Lanivireo solitarius) et le Vireo à gorge jaune *(Vireo flavi-
frons)*. Tous trois habitent la forêt, mais il nous font quelquefois l'honneur de suspendre aux branchettes supérieures de
nos arbres d'ornement cette merveille d'architecture aviaire
qu'est leur nid. Tous trois sont doués d'une voix agréable dont
ils se régalent eux-mêmes du matin au soir pendant l'été; tous
trois sont victimes du Vacher qui leur fait élever nombre de ses
petits.

Le plus joli avec son bonnet bleu, ses sourcils et sa gorge
blanche, celui qui se laisse approcher le plus facilement, est le
Vireo solitaire. Le moins connu, parce qu'il se tient dans la

ramure des arbres et chante moins que les autres est le Vireo à
front jaune. Le plus commun est le Vireo aux yeux rouges.
Il se fait surtout remarquer par son ton déclamatoire lorsque,
perché sur un arbre de nos pelouses, il pose des questions et
donne lui-même les réponses. — « Qu'est-ce que c'est ? Un gros
nid de chenilles ? Vite, ma chérie, n'attends pas. Viens me
trouver, je suis ici. Ce que nous allons nous régaler. Ne le
dis pas aux autres. »

Tout cela avec des inflexions de voix et sans perdre un coup
de bec; car les pauses dans le chant du Vireo ne sont pas des
points d'orgue, mais de courts arrêts qui lui permettent de
s'acquitter de ses devoirs. S'il chante en travaillant, ou plutôt
s'il gazouille du matin au soir, ce trait de famille ne l'empêche
pas de s'escrimer contre les chenilles des arbres et d'en faire
une énorme consommation. Il est aussi actif que loquace;
comme si son gosier, particulièrement vibrant aux heures chaudes du jour, quand la plupart des autres oiseaux se taisent, servait de soupape d'échappement à son petit corps verdâtre,
bourré de vitalité. Chose certaine, le Vireo mâle, à l'encontre
de la majorité des musiciens ailés, chante en pleine mue.

C'est au printemps qu'il est le plus actif. C'est aussi l'époque de l'année où son chant est le plus varié et le plus fervent,
comme si ses multiples occupations le mettaient en joie. Il
lui faut alors réclamer un canton, le défendre, défier les autres
mâles, se choisir une compagne puis l'aider à transporter les
morceaux d'écorce de bouleau, les bouts de papier et les fibres
végétales qui serviront à construire la frêle nacelle aérienne
d'où sortiront, de quatre oeufs blancs couvés à tour de rôle par
les parents, autant d'oiselets affamés.

Et cela sans négliger la fonction essentielle, le devoir d'état
de l'espèce qui est de nettoyer la ramure, de découvrir les parasites qui se cachent sous les feuilles et, à l'instar des moucherolles, de gober au vol les insectes qui s'aventurent à portée du
petit bec, légèrement crochu à l'extrémité de la mandibule supérieure.

Il est vrai que pour le Vireo chanter n'est pas un effort.
C'est la musique du vent dans la ramure qui chante en lui.
C'est pourquoi il peut réveiller les autres oiseaux le matin et
les endormir le soir, disputer le dernier mot à sa compagne et
se livrer sans remords à son talent musical.

Sa conscience est si tranquille qu'il dort du sommeil du juste, c'est-à-dire si dur qu'on peut l'approcher et le caresser sur le nid. Il est d'ailleurs plus confiant que d'autres et se laisse voir d'assez près pendant qu'il travaille ou qu'il couve. Mais cette absence de timidité n'est peut-être que bravoure : les Vireos des deux sexes attaquent sans hésiter ceux qui approchent leurs petits, quittes à s'amadouer quand ils se rendent compte qu'on ne leur veut aucun mal.

Braves, les Vireos le sont certainement, puisque le Sermoneur et le Solitaire construisent souvent leur nid dans le même arbre qu'un couple d'éperviers.

Le premier de sa famille à nous arriver au printemps le Vireo aux yeux rouges est le dernier à nous quitter à l'automne. Gazouillant et bavardant avec les siens il disparaît un beau jour, ou plutôt une belle nuit, en route pour ses quartiers d'hiver au sud des Etats-Unis ou au Mexique.

LE ROSALIN POURPRÉ

(Carpodacus purpureus)

Vulg. : **Pinson pourpré.**
Angl. : Purple Finch.
L. 6.22 po.
Couleur prédominante : framboise.

JOHN BURROUGH dit que cet oiseau a été trempé dans du jus de framboises, mais que l'immersion a été trop rapide et qu'il aurait fallu répéter l'opération pour justifier son nom. De fait, le Rosalin n'est pas pourpre, comme le fait supposer l'appellation vulgaire, il est plutôt d'un rouge vineux. De plus, les mâles seuls portent une livrée de cette couleur, encore doivent-ils attendre l'âge de 2 ou 3 ans, c'est-à-dire 6 à 8 mues avant d'acquérir tout leur éclat. Les femelles et les jeunes portent un manteau gris-vert dont la teinture semble avoir coulé en raies sombres sur leur poitrine.

Ceci n'empêche pas le mâle d'être très fier de son costume. Il mène sa cour avec toute l'assurance d'un cavalier bien vêtu. Ailes vibrantes, toutes plumes dehors et faisant miroiter au soleil les taches rouges de son habit de noces il danse avec ardeur devant la femelle. Parfois, pour mieux attirer son attention, il ramasse un brin de paille qu'il porte comme une canne de tambour-major, parade quelques instants, puis se jette sur le dos et feint la mort jusqu'à ce que la courtisée, sans doute pleine de remords pour son indifférence antérieure, vienne le toucher du bec et admettre sa soumission.

Mais cela c'est du cabotinage. D'ordinaire le mâle emploie d'autres moyens de séduction. Après s'être pavané il s'élance tout à coup dans les airs en chantant, s'élève comme l'alouette à quelques centaines de pieds, se maintient en agitant rapidement les ailes, déverse sur la femelle un torrent de notes mélodieuses, descend en dessinant de longues spirales, vient se poser devant elle, s'asseoit sur sa queue, ouvre les ailes et attend...

Il est rare que la femelle résiste à un si chaleureux appel. Elle approche timidement l'amoureux, le bécote et s'envole... mais revient bien vite, le bec ouvert, tourner autour de lui. Preuve d'assentiment que le mâle reconnaît aussitôt et le couple s'enfonce dans la ramure.

Après avoir choisi un arbre, généralement un conifère, la femelle construit avec ou sans aide de son compagnon, un frêle nid d'herbes, de fibres et de radicelles qu'elle garnit de poils. Elle y pond ensuite quatre à six oeufs verdâtres qu'elle couve seule. Le rôle du mâle est de la nourrir, de la défendre et de la distraire de son chant.

Cette dernière tâche doit lui plaire surtout, car il y met autant de vigueur que de joie. Et si son gazouillis n'a pas l'ampleur de son chant nuptial il est bien fait pour charmer sa compagne. Au dire des musiciens, le Rosalin est un des plus mélodieux, des oiseaux américains. Il a même valu à l'artiste, avant la loi qui protège sa liberté, d'être mis en cage et exporté en Europe. Il s'en vengeait en perdant ses jolies couleurs.

Fait notable et contraire à la règle voulant que les jeunes chanteurs ailés apprennent leur métier comme les enfants des hommes, le Rosalin d'un an chante aussi bien que l'adulte, avec la même maîtrise et la même pureté de timbre, qualité qui rappelle sa parenté avec le Serin.

Quand les petits sont éclos le mâle cesse pratiquement de chanter. Tout son temps est employé à seconder la femelle dans le ravitaillement du nid. On n'entend plus alors que son cri d'appel : *pip*, et ses murmures de satisfaction : *chip chi* quand il mange. A l'automne, après la mue, il gazouille encore un peu, mais son véritable chant est réservé à la saison des amours.

En septembre-octobre les familles de Rosalins forment des bandes bigarrées qui errent dans la campagne et couchent dans les taillis. Elles visitent les forêts, les vergers, les champs en friche et le bord des chemins en quête de graminées et de fruits sauvages. Elles sont très friandes des baies du Sorbier. Le nom de *carpodacus* a été donné à l'espèce justement pour souligner la mauvaise habitude qu'ont les Pinsons en général, et le Rosalin en particulier, de mordre les fruits. C'est aussi l'oiseau qui mange le plus de fleurs, mais cette habitude, au dire des biologistes, est tout à l'avantage des pomiculteurs. Consommant le surplus des bourgeons et des fleurs du pommier il assure de fortes récoltes de beaux fruits. Il rendrait le même service aux frênes, aux érables et aux ormes.

Mais le Rosalin, son bec l'indique, est un granivore; c'est à ce titre surtout qu'il sert nos intérêts en picorant quantité de graines de mauvaises herbes. Ses errances, à l'automne, sont même largement commandées par cette ressources alimentaire. Si elle vient à manquer en même temps que la récolte de fruits sauvages il ne se contente pas de déménager de canton : il émigre aux Etats-Unis et parfois jusqu'au Mexique.

Ces déplacements, commandés par la nécessité peuvent être empêchés, au moins dans le cas de certains individus, par le concours de l'homme. Autrefois locataire de la grande forêt le Rosalin a perdu beaucoup de sa sauvagerie. S'il continue à préférer la montagne à tout autre habitat, il voisine volontiers avec nous, niche quelquefois près de nos maisons et est toujours un bon client des restaurants gratuits qui s'ouvrent, l'hiver, sur le rebord des fenêtres. Un repas quotidien de graines de tournesol lui fait souvent oublier les attraits du sud.

Il faut dire que le froid n'effraie pas cet oiseau canadien. On l'a vu se baigner dans un ruisseau en plein mois de janvier.

S'il émigre quelquefois c'est pour manger à sa faim, parce que la récolte normale a manqué, que les Sansonnets ont dépouillé de leurs fruits les haies de génévriers dont il attendait sa subsistance ou que les Moineaux, ces petits brouillons, l'ont chassé de ses territoires habituels. Et il revient toujours, barbouillé dirait-on, de jus de fruits, nous régaler de sa chanson amoureuse, rondeau du grand poème printanier.

LOXIE DU PIN OU BEC-CROISÉ ROUGE
(Loxia curvirostra)

Vulg. : **Bec croche, Bec torse.**
Angl. : Crossbill.
L. 6.19 po.
Couleurs prédominantes (mâle) : rouge et brun.

N OUS voici en présence de l'un des nombreux spécialistes du règne animal que nous qualifions de phénomènes parce que nous n'avons pas encore réussi à faire entrer dans les cadres mesquins de nos classifications l'harmonieuse variété de la création divine. Son rôle est d'ouvrir les cônes des arbres résineux et d'en extraire les graines. Il importe donc peu qu'il ait les mandibules en croix afin de mieux s'acquitter de cette tâche ou que la forme de son bec lui impose la façon de s'alimenter, ainsi que le disputent deux camps opposés d'ornithologistes. La vérité est sans doute plus simple : la Nature avait besoin d'une paire de ciseaux et elle a fait le Bec-croisé.

Afin que cet outil soit plus maniable ont été ajoutées deux pattes semblables à celles du Perroquet, c'est-à-dire bien pre-

nantes et permettant à l'oiseau de se hisser de branche en branche par la seule force de ses tarses, ou de s'agripper à un cône,
la tête en bas si cette position l'avantage. Et par surcroît de
précaution le travailleur mâle a été revêtu d'une livrée rougeâtre, la femelle d'une robe vert-olive et les petits d'un uniforme taillé bourgeoisement dans les vieux habits de leurs parents, autrement dit vert et rouge; toutes couleurs qui se con-
fondent bien avec celles des arbres à feuilles persistantes, chantier de travail des Loxies.

Ayant ainsi assuré la réussite de ses desseins, la Nature
voulut sans doute corriger ce que cette spécialisation avait de
trop rigide : elle dota le Bec-croisé d'un grand esprit d'indépendance. Si bien que ce petit oiseau, de taille inférieure à celle
d'un Moineau, en prend à son aise avec les lois de la migration
et de la reproduction, sans parler du régime alimentaire. On
ne sait jamais quand son vol onduleux, qui rappelle celui du
Chardonneret, l'amènera dans nos parages, ni quand il atta-
chera à une branche de pin son nid de racines et de brindilles,
rond comme une balle et percée d'une ouverture sur le côté.
On ignore également ses préférences gastronomiques. Il disparaît quelquefois pendant plusieurs années, puis apparaît tout
à coup sur les conifères de nos pelouses comme un beau fruit
d'automne, couve au Canada et aux Etats-Unis selon son caprice,
(en plein hiver si le coeur lui en dit), mange aussi bien des
graines de sorbier ou de rosiers rustiques que des fruits de pin
ou de hêtre. Bref, il n'en fait qu'à sa tête et de son bec difforme,
outil qui nous paraît gauche, il tire un parti extraordinaire.

Ce bec est si musclé que la Loxie peut s'en servir pour *gosser*
du bois et ouvrir des noix. Il taille une pomme et en expose
les pépins en un clin d'oeil. Et il est si bien ajusté qu'il peut
saisir la graine la plus minuscule.

Mais c'est sur les cônes résineux qu'il fonctionne à la
perfection. Agrippé à une branche ou au cône lui-même l'oiseau enfonce sa paire de ciseaux entre les écailles imbriquées,
les écarte et cueille la graine qui repose dans la cavité, de sorte
que ce garde-manger, fermé aux autres espèces, ne profite qu'à
lui; il en a la clef.

C'est seulement lorsque la Nature néglige de garnir ce
garde-manger que le Bec-croisé quitte sa solitude du Nord,

son habitat naturel, pour s'approcher de nos demeures et franchir au besoin la frontière américaine. Il est alors un voisin confiant qui nous laisse approcher de sa table de travail et continue à converser d'une voix pointue avec les nombreux camarades qu'il s'associe en voyage. S'il décide de se mettre en ménage près de notre demeure, nous entendons alors son chant d'amour qui est doux, clair et mélodieux; et nous sommes témoins du dévouement avec lequel il élève les quatre ou cinq oisillons sortis de coquilles vertes.

Malheureusement, ce gracieux événement se produit rarement. La Loxie des pins est un oiseau du désert septentrional, comme son frère le Bec-croisé aux ailes blanches, dont les moeurs sont les mêmes et qui marque simplement une préférence pour les épicéas.

Ce sont les deux seules espèces de Bec-croisés que nous possédions. La nature, si prodigue à l'endroit de ses ressources, répugne tout de même à encourager le cambriolage chez ses enfants. Elle préfère tenir table ouverte et n'a recours aux procédés d'effraction que dans les cas très spéciaux, comme celui-ci.

LA FAUVETTE FLAMBOYANTE
(Setophaga ruticilla)
Vulg. : **queue rouge.**
Angl. : Redstart.
L. 5.41 po.
Couleurs prédominantes (mâle) : rouge et noir.

SUR le bord des lacs, à l'orée des bois et quelquefois dans les arbustes d'ornement, près de nos maisons de campagne, on voit une petite flamme qui danse et voltige entre les branches. Mais ses déplacements, aussi erratiques que ceux du papillon, ont un but. Cette flamme est vivante; elle s'appelle Fauvette flamboyante chez nous et *Candelita* (petite torche) à Cuba, l'un des endroits où elle hiverne. Sa fonction est de dévorer les insectes. Toute son agitation provient de son ardeur au travail et l'impression de feu est donnée par le manteau noir et rouge des mâles. Comme dit Madame Balchan cet oiseau est « moitié brûlant et moitié brûlé ».

Grâce à ce contraste de couleurs l'identification des mâles est facile, d'autant plus que la Fauvette flamboyante a l'habitude d'étaler, en volant, sa queue barrée de rouge. Les femelles peuvent aussi se distinguer sans trop de peine lorsqu'on sait que sur leur manteau le brun correspond au noir chez le mâle et le jaune au rouge. Les deux sexes ont la gorge et le ventre blanc-gris.

Et connaître ce gentil petit couple c'est l'aimer. Outre ses jolies couleurs la Fauvette flamboyante possède les charmes du Grimpereau et du Moucherolle réunis. Tous ses mouvements sont gracieux et elle est si absorbée par sa tâche de chasseur de chenilles ou de bon parent qu'elle se laisse approcher assez facilement. Elle vient parfois saisir ses proies à nos pieds ou près de notre visage.

Plus exubérante si possible que les autres membres de sa nerveuse famille, la Fauvette flamboyante mange par terre, dans les airs et sur les arbres, comme si elle était seule chargée d'enrayer l'effroyable pullulement des insectes.

Au temps des nids le mâle dépense surtout cette énergie en chansons. Il aide sans doute la femelle à choisir le site du nid et peut-être à transporter des matériaux, mais ceci fait, il pratique les deux ou trois airs qui composent son répertoire jusqu'à ce que les petits éclosent et réclament son dévouement. Cet effort vocal a probablement pour but de distraire la femelle pendant les quelque dix jours qu'elle passe sur le nid. Les jeunes mâles ne portent le manteau des adultes que la seconde années, mais ils chantent dès la première.

Le nid est généralement construit sur une fourche, dans l'angle que fait le tronc avec une petite branche. Fait de tiges, de feuilles, de minces lanières d'écorce et de duvet végétal, il est garni de radicelles et de vrilles de plantes grimpantes. Placé de deux à vingt pieds du sol il renferme d'habitude quatre oeufs blancs, tachetés de brun.

La Fauvette flamboyante est une fréquente victime du Vacher contre lequel elle ne sait pas se défendre comme sa cousine, la Fauvette jaune. Toutefois, malgré la mortalité ainsi subie, l'espèce ne semble pas perdre trop de terrain. Sans être aussi commune que la Fauvette jaune elle est assez abondante pour qu'on se donne la peine de la chercher. Sa rencontre dans le milieu naturel, ou mieux encore sa visite près de notre maison est un événement, car même dans le monde brillant des oiseaux il est rare que tant de beauté et de charmes soient alliés à une si parfaite utilité. La Fauvette flamboyante est un modèle d'insectivore en même temps qu'un ornement de nos bois.

LE PINSON TITIT OU FAMILIER
(Spizilla passerina)

Vulg. : **Moineau.**
Angl. : Chipping Sparrow, Chippy.
L. 5.37 po.

Couleur prédominante : brun.

LE groupe important des petits oiseaux bruns; Pinsons et Bruants, si difficiles à séparer de la tribu de l'omniprésent Moineau domestique, ne compte pas de représentant plus sympathique que le Titit. Pourtant, cet oisillon, d'une taille inférieure à celle du Soulciet, ne brille ni par le plumage, ni par la voix. Son costume, brun, terreux, plus ou moins rayé de noir et de blanc, selon la mode adoptée par plusieurs membres de sa famille, ne s'agrémente que d'un béret rouille, et son chant, ou plutôt ce qui en tient lieu, ressemble plus à un cri de sauterelle qu'aux vocalises d'un pinson. Mais il est si humble, si discret, si confiant à notre égard, qu'il est impossible de ne pas l'aimer, une fois qu'il s'est fait reconnaître à la ligne blanche qu'il porte au-dessus de l'oeil et à la barre noire qui traverse celui-ci.

Nous découvrons alors que ce modeste, dont les *chippé,* *chippé, chippé* matinaux sont trop faibles pour nous éveiller, est le prototype du voisin discret, travailleur et serviable. Comme beaucoup d'humains qui passent pour insignifiants aux yeux du vulgaire, il cache sous une mise humble et des manières douces de belles et solides vertus. Il est bon mari, bon père, bon compagnon et bon serviteur.

Son grand charme vient de la confiance qu'il nous témoigne. Ses surnoms de *familier* et *sociable* ne sont pas de vains compliments. Il est un des rares êtres libres qui aient recherché notre compagnie et ne nous aient pas crus si épouvantables. Il a pris la peine d'enquêter sur ces monstres à deux pattes qui ont chez les bêtes la réputation d'avoir dérobé la foudre et de s'en servir contre elles. Le résultat est flatteur puisque le Titit a quitté les bois où il habitait autrefois pour venir s'établir à nos côtés et presque dans nos maisons. Décision d'autant plus heureuse que lui-même en a profité et que son espèce se multiplie depuis sous notre inconsciente tutelle.

Car, il faut l'avouer, c'est notre dédain à son endroit qui fait le bonheur du Titit. Si nous l'endurons c'est qu'il est trop petit pour être mangé et trop bien élevé pour nous ennuyer. Mais il ne nous en garde pas rancune, au contraire. Conscient de notre indifférence il s'approche sans cesse de l'épouvantail qui éloigne ses ennemis naturels, picore les miettes de notre table et bâtit son nid jusque dans les vignes qui escaladent les pilliers de nos vérandas.

Ce nid a ceci de curieux qu'il est généralement garni de crin. Qu'il le bâtisse sur notre maison, dans un arbre d'ornement, un buisson ou un thuya éloigné de toute écurie, le Titit trouve moyen d'emprunter au cheval le matelas sur lequel dormiront ses petits. Il met peut-être une certaine fierté à resperter une tradition chère à son espèce, car ce matériel ne doit pas toujours être facile à trouver; de plus, il est dangereux : nombre de jeunes Titits se sont involontairement étranglés avec des crins qui dépassaient leur berceau et formaient lacets.

Dans ce nid léger, bien aéré, qui tient assez lâchement à une branche basse, la femelle, plus terne que le mâle selon la mode avienne, pond trois ou quatre oeufs d'un vert-bleuâtre, légèrement tachés de brun-noir, et les couve avec assiduité.

Puis elle aide le mâle à nourrir les petits, en prenant soin de répartir équitablement la nourriture qui est apportée toutes les trois minutes environ.

Le temps de la nidification est celui où le Titit nous rend le plus de services. Plus insectivore que nombre d'autres pinsons il commence, dès son arrivée au printemps, à épouiller et à écheniller nos plantes. Quand ses petits sont nés il multiplie ses efforts. La statistique américaine veut qu'un juin les insectes entrent pour 93% dans son régime alimentaire.

A l'automne, quand les insectes se font rares, le Titit mange des graines. Toutefois, avec sa discrétion habituelle, il choisit celle des mauvaises herbes. Jusqu'à son départ, en septembre-octobre, pour le sud des Etats-Unis, il nous rend donc de précieux services.

Et tout le temps qu'il reste avec nous il nous donne le spectacle d'un voisin matinal, assidu à sa tâche quotidienne, qui gazouille en besognant et même la nuit, aide son épouse à construire le nid, puis à élever les petits. Il a même le coeur si large qu'il nourrit à l'occasion la progéniture du Vacher déposée subrepticement dans son *home*. En somme, un brave petit oiseau qui s'essaie à chanter quelques semaines après sa naissance, fait son possible pour nous être agréable et nous fait confiance au point de venir manger dans notre main lorsque nous daignons prendre la peine de l'apprivoiser.

LA MÉSANGE À TÊTE NOIRE
(Parus atricapillus)

Vulg. : **Pipi-ginseng, Flûte des bois.**
Angl. : Chickadee.
L. 5.25 po.

Couleurs prédominantes : gris et noir.

A PREMIERE vue la Mésange est un modèle réduit du Geai gris. Sans le béret noir qui lui est particulier on pourrait croire qu'elle a été habillée avec les retailles du manteau de l'autre. Elle partage le même habitat septentrional (bien que son aire de distribution s'étende plus au sud,) passe aussi toute l'année avec nous et ne manifeste guère plus de crainte à l'égard de l'homme. Mais là s'arrête la comparaison. La Mésange se distingue du Geai gris autant par les allures et le caractère que par la taille. Tout ce qui est force et impudence chez le Geai est souplesse et confiance chez elle. Et dans son cas il ne peut être question de discuter le mérite. La Mésange est l'un de nos plus précieux auxiliaires.

Comme beaucoup d'oiseaux celui-ci est un spécialiste, un spécialiste de la prévention. Le Créateur l'a chargé de poursuivre la lutte contre les insectes longtemps après que ceux-ci sont morts ou endormis. Son rôle principal consiste à recueillir sur les arbres les oeufs, larves et chrysalides déposés à l'automne par les ennemis de la forêt. Ce qui ne l'empêche pas, en été, de détruire quantité d'insectes vivants et même de les attraper au vol, comme le plus habile des Moucherolles. Mais dans le dernier cas il utilise à son avantage des talents qui semblent bien lui avoir été donnés à des fins très particulières. Il triche un peu avec la nature. Normalement sa tâche est de nettoyer les crevasses d'écorce, les plis des bourgeons, l'axe des branchettes, bref, tous les coins inaccessibles à la majorité des insectivores. Et pour lui en faciliter l'accomplissement on a fait de lui l'un des meilleurs acrobates du monde ailé. On lui permet de défier toutes les lois de l'équilibre et de la gravité, de marcher la tête en bas, de s'accrocher à des parois lisses et de pratiquer le saut périlleux. Il n'est pas d'endroit sur un arbre que sa langue garnie de poils rudes ne puisse atteindre, ni de torsion ou de culbute dont il soit incapable. Son travail quotidien est un vrai numéro de cirque.

Et ce travail ardu la minuscule Mésange l'accomplit toute l'année, et par tous les temps, en chantant. Elle gazouille pendant les tempêtes de neige et quand le froid fait éclater les arbres. Rien ne l'arrête, ni ne l'attriste. Elle est la bonne humeur personnifiée.

Cette qualité, alliée à son zèle, attire sans doute les autres petits oiseaux, car Sittelles, Vireos et Pinsons l'accompagnent fréquemment, surtout à l'automne. Les naturalistes le savent et comptent sur elle pour leur révéler la présence d'oiseaux plus timides.

Elle-même ne craint ni l'homme, ni le fusil. Il lui arrive de se percher sur la personne immobile qui l'observe. Avec un peu de patience on la fait manger dans la main. Et pour l'attirer chez soi en hiver il suffit de lui offrir du suif, des noix et des graines de citrouille. Si elle est dans les environs elle s'invitera à ce banquet gratuit, car il faut beaucoup de nourriture pour entretenir la vie dans cette petite boule de duvet gris, lavée de bleu et de jaune.

La familiarité de la Mésange est l'un de ses charmes. Elle lui vaut l'amitié des rudes hommes des bois qui lui ont attribué deux noms vulgaires, honneur dont peu de nos oiseaux peuvent se flatter. Ils s'amusent à la siffler et à l'entendre poser, de sa petite voix flutée, la question qui les enchante : « *qui es-tu ? qui es-tu ?* »

Il est cependant un temps où la Mésange cherche la solitude. Au printemps, les petits couples s'enfoncent dans la forêt en quête d'un logis pour la famille qu'ils projettent d'élever. Quelquefois ils se contentent du trou abandonné par un Pic. mais le plus souvent ils creusent eux-mêmes leur demeure dans une vieille souche ou une branche pourrie, en prenant soin de transporter un peu loin les copeaux et autres traces de leur travail. Ils sont alors nerveux et méfiants, parfois cruels. On a vu des Mésanges tuer d'un coup de bec sur la tête des voisines d'une autre espèce.

Quand la cavité est prête les Mésanges la garnissent de mousse, d'herbes et de feuilles. Sur ce matelas elles étendent des poils et des plumes, puis la femelle pond quatre à huit oeufs blancs, tachés de roux, qu'elle couve assidûment.

C'est une excellente mère qui a trouvé un moyen ingénieux d'éloigner les indiscrets. Quand on l'approche de trop près sur son nid elle retient son souffle, puis le lâche brusquement à la face de la personne penchée sur elle. Celle-ci, trompée par le geste et le bruit, ne manque jamais de se retirer en hâte, convaincue que l'oiseau lui a craché au visage.

Le mâle est un chanteur médiocre, mais au temps des amours il ajoute à sa ritournelle : *tchi-kadi, tchika-di,* deux ou trois notes nouvelles dont il compose sa romance.

Leur famille élevée les Mésanges repartent en bande et vagabondent dans les bois. Elles préfèrent les endroits humides, où pullulent les insectes, gobant au passage les chenilles à tente et les moustiques, aussi bien que les poux et les graines. Quand ces dernières sont trop grosses pour leur petit bec pointu, elles les coincent dans une crevasse d'arbre et les déchiquètent.

Si jamais la Province de Québec se décide à adopter, à l'instar d'autres provinces, un oiseau qui soit à la fois symbolique et commun, la Mésange à tête noire a de grande chances d'être choisie. Par sa gaieté, sa confiance, son ardeur au travail et son habileté elle a déjà gagné l'amour et l'admiration de tous ceux qui la connaissent. La conquête des autres n'est que retardée jusqu'à la prochaine rencontre. Personne ne peut résister au charme de cet atome emplumé, personnification du courage rieur, de l'énergie utile et de la pittoresque adaptation au milieu.

LE CHARDONNERET JAUNE
(Spinus tristis)

Vulg. : **Canari sauvage.**
Angl. : Goldfinch, Yellow Bird.
L. 5.10 po.
Couleur prédominante : jaune.

CE pinson est très facile à identifier : seul de nos petits oiseaux jaunes il a des ailes noires. La femelle, qui a le corps olivâtre, possède aussi des ailes sombres et, comme le mâle, se distingue à ce signe de la Fauvette jaune qui est toute jaune.

Le Chardonneret se distingue encore par son vol ondulé dont le point d'ascension est synchronisé avec une petite phrase musicale qu'on pourrait traduire par *chi-co-ré*. Lorsqu'il se déplace, on dirait qu'il suit la courbe d'une grosse vague imaginaire dont il franchit la crête avec joie; ou encore, qu'il rencontre dans l'air des tremplins qui lui font faire des bonds prodigieux.

Cette allure enthousiaste, les *chi-i-ips joyeux* qu'il adresse à sa compagne, et surtout les notes zézayantes de son chant d'amour, démentent le surnom de *triste* donné à l'espèce. Et c'est un fait que ce rais de soleil, ailé de nuit, mène une vie qui n'a rien de morose. Toute l'année il vagabonde avec ses frères, visite les fleurs qui lui paient tribut et égrène sur la campagne un chant qui rappelle celui du Serin. Les soucis, s'il en a, lui sont légers, et il ne devient sérieux qu'au temps de la nidification; encore la femelle assume-t-elle le plus gros de cette tâche annuelle. Après l'avoir courtisée assez cavalièrement, son lumineux époux se contente de l'accompagner dans ses recherches de matériaux, de la nourrir et de la sérénader. Le grand événement qu'est la ponte se produit tard dans la saison, (en août généralement) soit parce que le couple n'est pas prêt plus tôt, soit parce qu'il attend la maturité de la fleur du chardon qui lui a donné son nom et dont il emploie le duvet pour garnir son nid. Ce dernier est quelquefois construit sur la fleur même, mais plus souvent dans un arbuste ou un érable. Il est compact et bien fait, le Chardonneret étant le meilleur architecte de tous nos Pinsons. En vérité, il est si bien façonné avec des herbes de la mousse, des duvets de plantes, des feuilles et des écorces qu'il est presque toujours étanche et recueille l'eau de pluie comme une coupe. Si bien, qu'après un gros orage, les petits, éclos des trois à six oeufs blanc-verdâtre, sont quelquefois noyés dans leur berceau.

Quoi qu'il en soit le mâle paraît en être content. Il en indique l'emplacement en tournant et en chantant autour de la couveuse. Il l'aborde aussi directement quand il apporte la becquée à sa compagne ou aux petits.

Ceux-ci, contrairement à l'usage le plus répandu chez les granivores, ne sont pas nourris d'insectes les premiers jours, mais d'une bouillie de graines préparée dans l'estomac de leurs parents et régurgitée dans le leur. Dans cette bouillie entrent plusieurs sortes de graines de mauvaises herbes et de fleurs de jardin. Parmi ces dernières le Chardonneret accuse une préférence pour les Rudbeckies, les Centaurées, les Cosmos, les Zinnias et les Laitues.

Trouvant son dîner servi aussi bien dans les jardins d'agrément que dans les champs, friand de graines de pissenlit et de chardon, mangeant au besoin des graines d'arbres et même des insectes, le Chardonneret ne craint ni la concurrence de ses frères, ni la disette. Il laisse plus facilement que d'autres ap-

procher de son nid. et, confiant dans la bonté de la Providence,
s'abandonne plus librement à ses instincts vagabonds.

Lorsque ses petits sont en état de voler il leur enseigne à se
nourrir ailleurs que dans son bec, puis il les laisse se débrouiller.
Lui se retire dans quelque coin ombreux pour faire sa toilette
d'hiver. Il en sort avec un manteau vert-olive qui ressemble
beaucoup à celui de la femelle. C'est ce vêtement neuf, produit
de la mue annuelle, qui s'usera au printemps et laissera voir la
magnifique doublure de satin doré, habit de noces des mâles.

En attendant papa Chardonneret mène une sorte de vie de
club. Avec de bons compagnons et des membres de sa famille
il court les banquets et remplace les nombreuses graines qu'il
mange par un semis de notes gazouillées. Jusqu'au prochain
nid il mange, se baigne et chante. L'expression proverbiale :
gai comme pinson, est tout à fait juste dans son cas.

Commun d'un océan à l'autre ce cousin du Chardonneret
d'Europe est l'un de nos plus charmants oiseaux. L'adresse
avec laquelle il décortique les graines de pissenlit, sa grâce lorsqu'il se balance sur une fleur de chardon, son vol rythmé et
surtout son chant mélodieux, le font désirer comme voisin.
Malheureusement, il reste peu avec nous. Il est changeant
comme la lumière dont il porte sur lui le reflet. Rustique et
débrouillard il pourrait demeurer avec nous tout l'hiver, et il
le fait parfois lorsque nous savons le tenter avec une nourriture
abondante, mais il préfère se promener, durant nos mois gris,
sous le ciel clair du centre des Etats-Unis.

C'est égal, il faut être reconnaissant à ce fils du soleil
d'avoir réhabilité l'affreux chardon en lui empruntant son nom
et en l'associant, au temps des nids, à une oeuvre d'amour.

LA FAUVETTE JAUNE
(Dendroica Petechia)
Vulg. : **Oiseau jaune.**
Angl. : Yellow Warbler.
L. 5.10 po.
Couleur prédominante : jaune.

LES Fauvettes américaines, qui composent chez nous le groupe le plus important après celui des Moineaux, sont assez différentes des Fauvettes d'Europe. Moins bonnes musiciennes que celles-ci et ne possédant qu'un filet de voix, elles sont en revanche beaucoup mieux vêtues. Leur nom, tiré de la couleur fauve généralisée chez leurs cousines d'outre-mer, a donc plus de sens poétique que réel. Plus que la couleur il évoque ce charme délicat associé au mot fauvette et s'applique ainsi très heureusement aux plus mignons de nos oiseaux, exception faite du Colibri.

Comme ce dernier les Fauvettes américaines sont d'origine tropicale. Habillées de clair et frileuses elles viennent nicher chez nous, mais dès que la température s'abaisse, en août-septembre, elles reprennent la route des pays du soleil, leur véritable patrie. Celles qui échappent, au cours de leur migration nocturne, aux froids subits et à l'attrait mortel des phares et des projecteurs puissants, s'éparpillent depuis le sud des Etats-Unis jusque très loin en Amérique du sud.

La courte durée de leur visite et surtout leurs goûts sylvestres font que ces gentils oiseaux sont peu connus. Des quelque vingt-trois espèces qui fréquentent la Province de Québec, trois ou quatre seulement approchent des maisons. Les autres demeurent au fond des bois, la plupart au haut des arbres, où seul leur faible gazouillis peut révéler leur présence.

Si les voir est difficile, leur identification est un problème pour les ornithologistes eux-mêmes. Presque toujours les deux sexes sont de couleurs différentes et de leur côté les jeunes ne s'habillent pas nécessairement comme leurs parents. Si bien que seul un oeil exercé peut nommer avec quelque certitude les pygmées aériens qui chassent l'insecte dans la frondaison.

Mais nous n'avons à nous occuper ici que des Fauvettes nos voisines, celles que nous pouvons voir sans les chercher. Les plus communes sont la Fauvette jaune et la Fauvette flamboyante.

La Fauvette jaune, habillée comme un Canari, se distingue de celui-ci et du Chardonneret par son bec gracile et droit, sa petite taille et les rayures marron, très voyantes chez le mâle, qui marquent sa gorge et ses flancs. Par exception dans la famille les deux sexes sont à peu près semblables.

Le retour de nos Fauvettes d'été coïncide d'habitude avec la floraison des pommiers. Il est marqué d'un petit chant agréable : *twit, twit, twiiit,* d'un ton plus élevé que celui de la plupart des autres membres de la famille, et par cet entrain infatigable qui est une des caractéristiques du groupe. On dirait que le petit couple doré est impatient d'imiter ses congénères qui ont déjà commencé à couver plus au sud, car l'aire de distribution sur notre continent s'étend depuis le sud des Etats-Unis jusqu'à la limite de la zone tempérée. Malgré les fatigues du voyage de 2,000 milles qu'il vient de faire, de l'Amérique centrale à Québec, il se met bravement à l'oeuvre.

La Fauvette jaune fréquente le bord de l'eau, l'orée des bois et les routes ombreuses. Elle a une prédilection pour les buissons et les arbustes. C'est ce qui nous vaut le plaisir de son voisinage. Il lui arrive souvent de nicher dans une touffe de lilas, un groseillier du jardin ou un arbre d'ornement. La plupart du temps le nid est placé à quelques pieds du sol et la femelle le construit en un jour, surtout quand nous lui facilitons la tâche en laissant à sa portée des brins de laine et autres matériaux fins. Après avoir établi une sorte de plate-forme sur une fourche de branche elle tresse rapidement une petite corbeille qu'elle garnit de plume et du duvet emprunté aux crosses de fougères, se servant de toutes les partis de son corps pour niveler, aplanir et modeler son petit chef d'oeuvre. Puis elle pond de trois à cinq oeufs blancs qui portent au gros bout une couronne de mouchetures lilas.

Parfois, le mâle aide la femelle à transporter des matériaux, mais le plus souvent il lui abandonne tout le travail de la construction et de la couvaison, se contentant de la protéger et de la régaler de son chant. On cite un mâle qui lança ses quelques notes joyeuses 3,240 fois en une journée.

Le Vacher, ce parasite qui fait couver ses oeufs par les autres oiseaux, pond souvent dans le nid de la Fauvette jaune, mais celle-ci est, avec le Merle erratique, l'une de ses rares victimes à se défendre. Règle générale, quand un oeuf de Vacher est pondu à côté de l'un des siens ou dans le nid vide, elle défonce son nid ou construit un plancher par-dessus l'oeuf étranger. Après quoi elles recommence sa ponte.

On a vu de ces nids qui avaient jusqu'à cinq étages, chacun renfermant un oeuf de Vacher et quelques oeufs de Fauvette. Quelquefois aussi la couveuse abandonne ses oeufs avec celui de l'intruse. Ce n'est que très rarement, quand, par exemple, tous les oeufs sont pondus, qu'elle couve l'oeuf du Vacher.

Non contente d'emmurer la progéniture de son ennemi dans la meilleure tradition médiévale, la Fauvette jaune défend ses petits à la façon habituelle des oiseaux, c'est-à-dire en feignant d'être blessée pour attirer l'attention sur elle. Si l'adversaire est de sa taille elle hérisse au contraire ses plumes, se gonfle et se fait aussi terrifiante que possible.

Mais elle n'est terrible que pour les chenilles et autre insectes nuisibles qu'elle. gobe du matin au soir en sautillant.

LE   SIZERIN À TÊTE ROUGE
(Acanthis flammea)

Fr. : **Sizerin boréal.**
Angl. : **Redpoll Linnet.**
L. 5 po.

Couleurs prédominantes : brun et rouge.

Lorsque nos paysans appliquent le terme générique de *moineau* à tous les petits oiseaux plus ou moins bruns de la famille des Fringilles, neuf fois sur dix ils s'accordent avec nos plus savants ornithologistes. Leur erreur paraît-il, (et nombre d'entre nous la partagent) est de donner ce nom à l'oiseau qui le porte officiellement, le Moineau vulgaire, que les systématiciens ont choisi de classer parmi les Pinsons tisserands, dans la famille des Plocéides.

Dans son excellent ouvrage : *Birds of Canada*, M. P.-A. Taverner va même jusqu'à écrire que les mots *moineau, linotte, pinson* et *bruant*, donnés à divers passereaux, sont pratiquement

synonymes; que tous appartiennent au groupe des Moineaux
ou Passereaux percheurs qui composent probablement la plus
grande famille d'oiseaux au monde.

Tout ceci pour dire que notre modeste Sizerin n'est pas le
premier venu : il est apparenté au rutilant Cardinal et au mélodieux Pinson chanteur, notre rossignol canadien. Ce n'est
pas de sa faute si dans le partage de l'héritage familial il n'a
reçu qu'un béret rouge, un morceau de rose fané pour son plas-
tron et des miettes de chant. Avec ces laissés pour compte
vestimentaires et ces brides musicales il s'est tout de même
composé une toilette fort présentable et un agréable gazouillis.

Mais ce qui nous le rend surtout cher, c'est l'espacement de
ses visites, la confiance qu'il nous témoigne et son utilité :

Le Sizerin est l'un des petits souffles de vie qui animent la
grande forêt de conifères et les déserts nordiques. Son habitat
s'étend de la Baie d'Hudson aux îles sauvages du Bas Saint-
Laurent. C'est là, au milieu des aiguilles des épicéas ou sur le
rude tapis des lichens que la femelle construit son nid et couve
de deux à cinq oeufs bleu-vert, pendant que le mâle la garde de
près et la nourrit par régurgitation. Dans ce nid, souvent garni
de plumes de Ptarmigan, sont élevés avec soin les petits, soumis par leurs parents à un régime d'insectes.

Pendant neuf mois de l'année, environ, grâce à un garde-
manger bien garni, les Sizerins vivent indépendant de l'homme;
mais en étendant sa nappe blanche sur leur table la neige in-
terrompt ironiquement le service de ravitaillement et si par
hasard les graines d'arbres ont manqué ces petits sauvages sont
forcés de se rapprocher de nous. C'est l'explication de leurs
déplacements erratiques et de leur apparition soudaine dans
les cours de fermes, souvent au milieu d'un tourbillon de neige.

Après avoir élevé sa famille le Sizerin parcourt son domaine, puis la disette menaçant il met son plus bel habit, réunit
les siens, rejoint d'autres familles de son espèce ou des étrangers
en voyage et, de son vol ondulé qui rappelle celui du Chardonneret, il s'oriente vers le Sud.

Quelquefois ses compagnons de route sont des Bec-croisés
qui ouvrent les cônes de conifères et qui abandonnent les miettes
de leur repas. Lui-même, lorsqu'il est seul, cherche à les imiter

en s'attaquant aux cônes de mélèzes et de thuyas, mais sans grand succès. Il se rattrape alors sur les graines de bouleaux et d'aulnes puis, finalement, lorsqu'il est rendu dans nos parages, sur les graines de mauvaises herbes dont il détruit une grande quantité. On le voit alors, mêlé à des vols de Chardonnerets, de Plectrophanes des neiges et autres glaneurs, qui abat une grosse besogne en gazouillant.

C'est le moment où le Sizerin révèle sa nature confiante. Comme la plupart des bêtes dites sauvages il ne fuit pas l'homme parce que, vivant loin de cet épouvantail une grande partie de l'année, il n'a pas appris à le craindre. Là-haut, près du cercle arctique, seul le tonnerre effraie les oiseaux et comme les anciens Gaulois les Sizerins ne craignent qu'une chose, c'est, que le ciel ne leur tombe sur la tête. C'est pourquoi nous les voyons se poser aux pieds de la fermière qui nourrit ses poules et partager quelquefois le pain du bûcheron. Et si celui-ci est une âme simple, en communion avec la nature, s'il ne fait aucun mouvement brusque, les petits vagabonds s'enhardissent jusqu'à le prendre pour perchoir. Ils s'installent sur son chapeau, ses genoux, ses mains, et le réchauffent de leur gazouillis.

« Dieu a fait le froid », écrit Thoreau, « mais il a fait aussi le Sizerin aux tons chauds. » Il aurait pu ajouter : et la confiance réconfortante. Nous nous sentons déjà un peu meilleurs du fait qu'un tout petit oiseau nous croit bons...

CEUX QUI TIENNENT L'AIR

LES RAPACES

LES oiseaux de grande ou de moyenne taille qui tournent en planant au-dessus de nos têtes, nagent à coup d'ailes rapides ou glissent dans le ciel avec une aisance suprême, sont presque toujours des rapaces diurnes. La plupart du temps leur présence nous est signalé par le cri d'alarme du coq, gardien du poulailler, la fuite ou le silence subit des petits oiseaux, les criailleries des corneilles et l'ascension déterminée du Tritri qui les prend en chasse. Malheureusement, ils passent si vîte ou se tiennent si haut que nous avons rarement le temps ou le moyen d'en reconnaître l'espèce, ni de déterminer si ce sont des oiseaux amis ou ennemis. Car n'en déplaise au coq, dont les yeux sont meilleurs que la science, ou au cultivateur dont la rancune est souvent plus longue que la vue, tous les oiseaux de proie ne sont pas fatalement nuisibles. Les mauvais sujets — presque toujours des éperviers — sont même en minorité. Pour un mangeur de poulets il y a dix mangeurs de rats et de souris, et le voleur lui-même n'est pas toujours un récidiviste endurci. Il peut racheter ses larcins par des services appréciables, ne serait-ce que comme régulateur de la vie animale, rôle assigné à tous les rapaces qui, en éliminant les individus malades ou faibles, protègent les espèces-proies contre les épidémies ou la dégénérescence engendrée par la pullulation. C'est pourquoi les chasseurs ont tort de traiter tous leurs rivaux ailés en ennemis ou de prendre pour cibles vivantes tous les rapaces indistinctement. En jugeant sans preuve et en exécutant au hasard ils font périr non seulement des innocents, mais encore des auxiliaires, c'est-à-dire des êtres qui assurent la conservation de ce gibier qu'ils sont si jaloux de tuer eux-mêmes. Conduite d'autant plus regrettable que certaines espèces de rapaces sont en voie de disparaître.

Mais encore une fois, la difficulté pour tout le monde est de reconnaître à temps l'oiseau qui passe à portée de fusil. Le plus simple est encore de s'abstenir et de ne tirer que dans les cas de flagrant délit.

Reste pourtant le problème de l'identification pour celui qui, dédaigneux de la valeur économique des rapaces, s'arrête surtout à les considérer comme les souples chefs-d'oeuvre d'un groupe spécialisé. Dire si le bolide qui passe est un Epervier ou un Faucon, si le point noir qui tourne là-haut est une Buse, un Busard ou un Balbuzard, est un tour de force de savant naturaliste. Mais sans prétendre à cette science certaine on peut toutefois, s'arrêter à quelques signes, à quelques caractères extérieurs qui facilitent, sinon l'identification des espèces, du moins celle des catégories de rapaces, permettant ainsi de distinguer les oiseaux utiles ou douteux de ceux dont l'éleveur de volailles ou de gibier, doit se méfier. Les principaux de ces signes extérieurs sont mentionnés dans les notices qui suivent.

LE BALBUZARD FLUVIATILE
(Pandion haliaeus)

Vulg. : **Aigle pêcheur.**
Angl. : **Osprey, Fish Hawk.**
L. 23.10 po.
Couleurs prédominantes : blanc et gris.

COMME le Busard des marais le Balbuzard pourrait être compris dans le groupe suivant, celui des oiseaux qui aiment l'eau. A l'instar du Martin-pêcheur il en vit exclusivement. D'autre part c'est un planeur et à ce titre il doit figurer dans le groupe où, par comparaison, il a le plus de chance d'être reconnu; car, du point de vue de l'homme ce magnifique migrateur est un être tout à fait inoffensif.

Les oiseaux aquatiques le considèrent aussi comme tel. Les canards sauvages se laissent survoler par lui sans crainte et les Hérons de nuit nichent souvent dans le bas de son aire, qui est un amas de bâtonnets et d'herbes sur un arbre ou un rocher. Le couple le répare chaque année et y élève de deux à quatre petits.

Distribué à travers tout le continent près des grands lacs et cours d'eau de l'intérieur ainsi que sur le bord des deux océans, le Balbuzard n'est commun nulle part, mais attire l'attention partout où il se trouve. De loin on le reconnaît à sa blancheur apparente, à ses longues ailes anguleuses et surtout à sa spécialité. Il est le seul de nos gros oiseaux à pêcher directement ses proies.

D'habitude le Balbuzard survole lentement, à une hauteur variant de trente à cent pieds, une nappe d'eau basse. Quand il voit un poisson il s'arrête, décrit des orbes concentriques, se place au-dessus de la victime et, relevant ses ailes, se laisse tomber sur elle. Souvent la vitesse de sa chute l'entraîne sous l'eau. Il disparaît alors presque complètement ne laissant dépasser que le bout de ses ailes noires. Cette descente en chute libre est aussi employée lorsqu'il s'agit pour lui de regagner son nid.

La proie est saisie quelquefois entre les serres d'une seule patte et d'autant mieux retenue que ces serres sont munies de coussinets garnis de pointes.

Si le poisson capturé est de faible taille, comme c'est le cas généralement, le Balbuzard se relève d'un coup d'épaules puissant, secoue l'eau sur ses ailes et son dos (les plumes du ventre sont hydrofuges et très serrées), puis va manger sa proie sur un perchoir préféré ou l'apporte à ses petits.

Cela quand il est seul et que l'Aigle à tête blanche ne s'est pas constitué son parasite. Dans les régions maritimes le Balbuzard pêche souvent pour le compte de son gros et paresseux voisin, dont la principale occupation est de le surveiller et de le forcer à lâcher ses prises qu'il attrape ensuite au vol. Abus de la force dont le Balbuzard se venge, comme d'habitude sur un être plus faible, en volant le Héron bleu.

Le Balbuzard n'est pas difficile. Il mange n'importe quelle sorte de poisson et généralement les plus communs : harengs au bord de la mer, carpes et perches en eau douce. Les poissons dits de sport, tels que truites et achigans, vivent en eau trop profonde pour lui. D'ailleurs il vise plus à la quantité qu'à la qualité, goinfrerie qui lui joue de vilains tours. Il lui arrive par exemple de saisir de gros brochets qui s'entêtent à rester dans leur élément et qui l'entraînent sous l'eau. S'il ne déprend ses serres à temps il est proprement noyé et sert à son tour de déjeuner aux poissons.

Vivant presque exclusivement de poisson le Balbuzard est parfumé de son odeur de la tête aux pieds. Il en est même à ce point imprégné que nos Peaux-Rouges extrayaient de son corps une huile dont ils se servaient comme appât à la pêche.

Symbole du parfait pêcheur, le Balbuzard continuait à pêcher même après sa mort.

L'AUTOUR
(Accipelér gentilis)

Angl. : Goshawk, Hen Hawk, Blue Darter.

L. 22 po.

Vulg. : **Oiseau de proie, Mangeur de poulets, Grand Épervier.**

Couleurs prédominantes : brun et blanc.

LES Eperviers sont de beaux oiseaux aux lignes élégantes, bleu cendré sur le dessus et blanc tacheté de brun ou de roux sur la poitrine. Moins trapus que les Buses ils ont comme elles l'extrémité des ailes arrondies, mais ils s'en distinguent en ayant ces ailes plus courtes, la queue plus longue et plus fine, et pas de zones sombres en dessous. Leurs allures aussi sont différentes : contrairement aux Buses qui sont surtout des oiseaux planeurs, c'est-à-dire des guetteurs qui surveillent du ciel les endroits découverts, ce sont des trappeurs; ils volent rapidement à faible hauteur, glissent sur l'air et poursuivent leurs proies jusque dans la ramure et les buissons. La nervo-

sité de leur vol et l'âpreté de leur poursuite les feraient plutôt
ressembler au Faucons dont ils se distinguent cependant par
la forme des ailes. Celles des Faucons sont pointues.

Le plus beau, le plus puissant et le plus nuisible de nos trois
Eperviers[1] est l'Autour à tête noire qui, sans être un oiseau
noble proprement dit, était utilisé autrefois en fauconnerie
pour la chasse au lièvre et à la gélinotte, deux de ses proies préférées. Oiseau du Nord et des montagnes bien boisées, c'est
dans la solitude, sur une enfourchure de gros arbre, qu'il bâtit
son aire avec des bâtonnets entre-croisés et la garnit de morceaux
d'écorce et de branchettes de conifères; c'est loin du regard des
hommes, qu'elle déteste sans trop les craindre, que la femelle,
plus grosse que le mâle et mesurant quelques pouces de plus en
largeur et en longueur, couve farouchement chaque printemps
trois à quatre oeufs blanc-bleuâtre. Les poussins qui en sortent
ont les yeux pâles et le regard cruel. Ils sont vêtus d'un manteau brun la première année se sont plus audacieux encore que
leurs parents. A l'instar de ceux-ci ils tuent au vol, en se laissant tomber sur leur proie qu'ils achèvent à terre, puis emportent sur une branche pour la dévorer.

Tant que les Autours demeurent dans leur habitat nordique
il n'y a rien à dire contre eux. Peu importent au cultivateur
les écureuils roux, les gélinottes, les lièvres et les lemmings
dont ils se nourrissent sur le domaine qu'ils disputent parfois
au Grand Duc dans des combats singuliers souvent mortels.
Mais l'hiver et en temps de disette ils sont accoutumés de
se déplacer vers le Sud, par couple ou en bandes. Gare aux
couvées de gélinottes que convoite le chasseur et gare aux habitants du poulailler ! Ces barbares du Nord ne connaissent d'autre frein que le fusil, encore qu'ils risquent bravement leur
peau pour satisfaire leur fringale. Une fois établis dans le
voisinage d'une ferme ils la visitent à toute heure, même quand
l'homme est présent. Deux fois j'ai arraché un poulet aux
serres d'un Autour qui l'avait cueilli à mes pieds pendant que
j'épandais le grain de la volaille. Ce qui n'empêcha pas le
même oiseau de revenir dans la journée et avec plus de succès.

---

(1) les deux autres sont l'Epervier de Cooper et l'Epervier brun.
     (Voir plus loin).

Chaque fois l'attaque était brusque et l'enlèvement un jeu. L'Autour surgissait de derrière un bâtiment ou un arbre, se laissait tomber avec force, plantait ses serres dans la victime et l'emportait à tire, d'ailes. Je suppose que selon l'habitude de l'espèce il lui arrachait d'abord la tête, la mangeait, puis plumait le corps avant de le déchiqueter.

Ces apparitions subites ne sont pas dues au hasard. L'Autour à l'habitude de tenir l'affût sur une branche haute d'un arbre feuillu. Caché lui-même par la ramure il surveille les environs et s'élance au bon moment. Et une fois lancé il est rare qu'il rebrousse chemin. Dans son cas on dirait que c'est la proie qui le fascine. On l'a vu tuer une poule sous la jupe d'une fermière où elle s'était réfugiée, en suivre une autre à pied sous une grange. Très souvent il chasse gélinottes et lièvres en bondissant derrière eux dans les fourrés.

Cette audace invincible est encore le meilleur signe d'identification. L'Autour est le seul gros rapace à se la permettre; mais elle ne lui réussit pas toujours. Lorsqu'il chasse le canard sauvage à l'automne il lui arrive d'être trompé par les canards de bois que posent d'autres chasseur, armés de fusils ceux-là, qui le tuent au moment où il essaie d'emporter le leurre.

Quoi qu'il en soit il faut tenir compte de cette bravoure et la respecter, surtout quand elle s'exerce pour défendre le nid. Peu d'oiseaux tiennent tête à l'homme. L'aigle, dont la réputation de noblesse est très surfaite et qui n'est au fond qu'un lâche voleur, à en juger par les rares individus qui habitent chez nous et vivent aux dépens du Balbuzard fluviatile, l'Aigle, dis-je, fuit devant nous. Seuls l'Autour et le Faucon tiennent tête et risquent un combat inégal. Blessé l'un de ces oiseaux se jette sur le dos, présente ses terribles serres et s'il est trop mal en point pour se jeter sur le tireur il attend le coup de grâce les yeux grands ouverts, fixés sur ceux de son ennemi et sans qu'une plainte s'échappe de son bec crochu.

Un noble oiseau en vérité, à qui l'on peut pardonner la gloutonnerie qui est son péché mignon et qui l'oblige parfois, après un trop copieux dîner, à marcher de long en large pour aider sa digestion. Ce trait grotesque n'enlève rien à ses autres qualités et n'empêche pas les naturalistes de déplorer la diminution rapide de son espèce. Il est triste de songer que l'Autour se meurt d'être trop brave.

LA BUSE À QUEUE ROUSSE
(Buteo jamaicensis)
Vulg. : **Oiseau de proie, Mangeur de poulets.**
Angl. : **Red-tailed Hawk, Chicken Hawk.**
L. 20 po.
Couleurs prédominantes : brun, rouge brique et blanc.

EN dépit du proverbe français : *On ne fait pas un épervier d'une buse,* la plupart de nos rapaces du genre Buteo sont confondus avec les éperviers, englobés dans la même réprobation et victimes de la même persécution. Et c'est dommage, car à l'exception de quelques individus qui succombent à la tentation d'enlever un poulet égaré, nos Buses sont de meilleurs ratiers que le chat domestique, ce feignant renté, et donc de précieux auxiliaires. Il a été calculé que les animaux nuisibles à l'homme entrent pour environ 75% dans leur régime alimentaire, fait qui devrait nous rendre plus prudents dans la distribution de nos coups de fusil.

Les deux grosses buses les plus communes dans Québec sont celle-ci et la Buse à épaulettes (Buteo lineatus; en anglais,

Red shouldered Hawk). Au vol on les distingue à leurs ailes, arrondies comme celles des éperviers, mais plus larges et dont le bord semble toucher à la base de la queue. Celle-ci est généralement déployée en éventail. Un autre caractère distinctif est l'habitude de s'élever en spirale, sans battre des ailes, en se servant seulement des courants d'air ascendants, et de planer à des grandes hauteurs.

La Buse à queue rousse se reconnaît à sa taille un peu plus forte et surtout à sa large queue couleur brique, rayée de noir en-dessous, qui est très voyante. La Buse à épaulettes a le dessus de la queue plus finement rayé et la poitrine rousse. Un bon signe d'identification est la tache blanche ou translucide qu'elle porte en-dessous près de l'extrémité de chaque aile. Au repos on remarque surtout les épaulettes rousses.

Les moeurs étant à peu près les mêmes chez les deux espèces nous nous arrêterons à la Buse à queue rousse qui est notre plus proche voisine. Il lui arrive assez souvent de nicher près d'une ferme. Elle se laisse voir aussi plus souvent, soit planant au-dessus de nous, soit immobile sur une branche sèche à l'orée d'un bois. La Buse à épaulettes est un oiseau de la grande forêt qui chasse en terrain découvert.

Dès son retour du Mexique ou de l'Amérique centrale, lieux d'hivernement des Buses, le mâle de la Buse à queue rousse révèle sa présence dans l'azur par des coups de sifflet stridents : *Kri-i, kri-i-i;* appels que sa compagne finit par entendre et qui sont le prélude de la pariade acrobatique de ces rapaces. Pendant quelques jours nous les voyons tourner de concert et simuler des combats; puis ils s'emploient à reconstruire le nid de l'année précédente, un amas de bâtonnets placés sur une enfourchure d'arbre et garni d'herbes où la femelle pond de deux à quatre oeufs blancs, tachés de brun. L'incubation dure de quatre à cinq semaines. Quand les petits sont assez forts pour voler, les parents les forcent à déguerpir. Libres de chasser pour leur compte ils reprennent alors leur tournoiement dans l'espace et les affûts confortables sur les arbres morts.

Une croyance populaire veut que la Buse tourne là-haut dans le but d'hypnotiser les volailles et de les capturer plus facilement. Le motif de ces évolutions gracieuses est sûrement plus simple : la Buse prend de la hauteur afin de pouvoir surveiller un plus grand territoire. La distance lui importe peu puisque son oeil est ainsi fait qu'il grossit et rapproche les objets comme un télescope. D'une hauteur de cinq cents pieds ou plus elle découvre une souris qui trotte dans un champ.

Mais tout en possédant la même maîtrise de ses ailes que les autres rapaces la Buse à queue rousse ne glisse pas directement du ciel sur le dos de sa proie. D'habitude elle redresse son plongeon à hauteur d'arbre, se pose sur une branche, et de là s'élance sur sa victime qu'elle ne perd probablement pas de vue pendant toute la manoeuvre.

Toutefois, sa façon ordinaire de chasser est moins spectaculaire. Du haut d'un arbre ou d'un autre perchoir commode elle examine le sol d'un terrain découvert. L'oscillation de quelques brins d'herbe suffit à lui révéler le passage d'un rongeur ou d'une couleuvre. Elle-même semble parfaitement immobile, mais qui l'observe de près remarque qu'elle imprime à sa tête un mouvement de gyration, si lent, si bien rythmé, qu'il est imperceptible à une certaine distance. Précaution de chasseur qui ne veut pas effrayer son gibier.

Celui-ci consiste surtout en petits mammifères. Aux Eperviers la plume, aux Buses le poil. Les rapaces se partagent la tâche d'endiguer la vie animale selon leurs aptitudes. Ce qui ne veut pas dire que la Buse soit maladroite. Elle est assez agile pour attraper l'Ecureuil roux sur son arbre. Au besoin, le couple chasse de compagnie; l'un fait le chien et mène le gibier à l'autre.

Il est rare cependant que nous puissions assister à ces drames de la vie animale. Le plus souvent nous devons nous contenter de suivre du regard ces beaux oiseaux qui évoluent au-dessus de notre tête, et qui nous voient avec de meilleurs yeux que les nôtres.

Un beau jour le point tournoyant disparaît. Réunie à des congénères la Buse a commencé sa migration annuelle. Sur un courant aérien qui se trouve parfois au-dessus des nuages elle se laisse emporter vers le Sud.

LE BUSARD DES MARAIS
(Circus cyaneus)

Vulg. : **Oiseau de proie.**
Angl. : Marsh Hawk, Marsh Harrier.
L. 19 po.
Couleurs prédominantes : brun et blanc.

LA VIE de ce bel oiseau gris et feu se passe surtout au-dessus des marais et des importantes colonies d'herbes qui bordent les élargissements du Saint-Laurent. Fidélité à l'habitat qui peut, à la rigueur, servir d'identification. Il est le seul de nos rapaces à se promener ainsi, en terrain complètement découvert, à faible hauteur et à une allure de flânerie. Mais on le distingue aussi des Buses par ses longues ailes (plus étroites que les leurs) ainsi que par sa queue plus fine et plus longue, et de tous les autres oiseaux de proie par son croupion blanc, si apparent chez les deux sexes qu'on croirait par moment la queue séparée du corps.

Ces caractères distinctifs sont d'autant plus importants qu'ils doivent commander notre respect. Notre unique Busard américain est à protéger. Dans l'ensemble il est utile et ses moeurs sont fort remarquables. Il mérite une attention plus éclairée que celle dont il est l'objet de nombreux possesseurs de fusil.

Opportuniste comme tous les rapaces, le Busard attrape bien, par ci par là, quelques poussins de gibier à plume et quelques petits oiseaux. Poussé par la faim il peut même enlever un poulet. Mais ces cas sont rares; d'habitude il se nourrit de grenouilles, de couleuvres, de cadavres de canards blessés mortellement par les chasseurs, de rats et de souris. Sa prédilection pour ces rongeurs lui a même fait refuser le titre d'« oiseau noble » par les anciens fauconniers.

Le mode de capture des proies diffère de celui employé par les Eperviers. Moins robuste, moins rapide que ceux-ci le Busard ne poursuit pas ses victimes avec la même âpreté; il les quête avec insistance, mais fait peu de prises au vol. Il lie ses proies à terre. Son système consiste à donner quelques coups d'ailes puissants, puis à glisser lentement sur l'air, ailes immobiles et hautes (au trait distinctif). Lorsqu'une proie est repérée il s'arrête brusquement, fait une culbute complète au besoin et se laisse tomber, serres tendues.

Si simple que la manoeuvre paraisse elle n'est pas toujours facile à exécuter avec un gibier qui se dérobe sans cesse, et pour cause. Les jeunes Busards de l'année le savent qui jeûnent souvent par suite de leur maladresse ou s'attirent de vilaines affaires en s'attaquant à des gibiers trop gros. Quelques-uns sont battus par des coqs et même par de vieilles poules.

L'adulte, lui, a de nombreux tours dans sa gibecière. Il enlèvera, par exemple, un nid de souris tout entier, le déchiquètera en l'air et en capturera les occupants un à un dans leur chute. Trop lent pour forcer un oiseau ordinaire, il justifiera son nom anglais de *harrier* en le harcelant, en l'enfermant dans la prison imaginaire de ses cercles concentriques, et, après lui avoir fait perdre la tête, en profitant de son émoi paralysateur pour le lier.

Il est aussi meilleur voilier qu'il ne le paraît. Il ne faut pas le juger par sa lenteur en chasse qui est probablement voulue. En passant à faible allure au-dessus des herbes et des roseaux il voit mieux ce qu'ils recèlent. Il sait s'arrêter en plein vol et peut franchir une courte distance avec une rapidité foudroyante.

Sa spécialité est l'acrobatie aérienne. Il nous en donne le spectacle au printemps, quand il courtise la femelle, sa compagne pour la vie. On le voit alors bondir de la terre vers le ciel, comme une balle de caoutchouc, tourner, culbuter, vriller autour de la femelle qui l'a suivi dans l'espace et avec qui il simule des combats singuliers qui font l'admiration des pilotes de chasse. Il pousse en même temps des cris aigus qui sont peut-être moins des expressions de sentiment que des échantillons de ses appels de pourvoyeur.

Le Busard mâle, en effet, nourrit la femelle quand elle couve. Lorsqu'il approche du nid avec une proie il donne un coup de sifflet strident. Sa compagne monte alors à sa rencontre, se jette sur le dos et reçoit dans ses serres la proie qu'il lâche. De son côté la femelle agit de la même façon quand ses petits sont assez vieux pour rester seuls. Elle leur laisse tomber la nourriture de plusieurs pieds de haut. Les premiers jours elle leur partage les proies apportées par le mâle et qu'elle va chercher dans le ciel.

Le mâle laisse aussi choir du haut des airs les matériaux du nid qu'il transporte dans son bec lorsqu'il sont petits, et dans ses serres lorsqu'ils sont gros. Règle générale ce sont des bâtonnets que la femelle entre-croise sur le site choisi, d'habitude une motte sur laquelle pousse une touffe d'herbes des marais. La ponte est de quatre à six oeufs blanc verdâtre.

Ces curieux oiseaux semblent dédaigner les intermédiaires entre la terre et le ciel. Ils nichent, mangent et couchent sur le sol, chassent, aiment et s'amusent dans l'air. Il leur arrive de se percher sur des piquets ou des branches mortes, au bord de l'eau, mais presque jamais sur un arbre feuillu. Amoureux de la plaine ils ne sont à l'aise qu'au milieu de vastes horizons.

En général les Busards ne sont pas braves. Quelques-uns défendent leur nid, mais la plupart fuient l'approche de l'homme. Un bon nombre se laissent battre et voler par des rapaces de passage. Il est vrai que d'autres volent les petits éperviers

et s'attaquent au Butor, proie dangereuse, car elle sait s'escrimer de son long bec pointu.

Mais courageux ou poltron le Busard est un oiseau à conserver, ne serait-ce que pour le spectacle de sa pariade acrobatique. Et puis, lorsqu'il entreprend, à la fin de l'été, la migration annuelle qui le conduit, de marais en marais, à Cuba
ou en Colombie, nos grands paysages aquatiques perdent déjà
l'un de leurs hôtes les plus caractéristiques. Il ne faudrait
pas que disparaisse à jamais cette ombre majestueuse qui
glisse, pendant la belle saison, sur les champs de roseaux fris-
sonnants.

L'ÉPERVIER BRUN
(Accipiter striatus)
Vulg. : **Oiseau de proie.**
Angl. : Sharp-Shinned Hawk.
L. 11.25 po.
Couleurs prédominantes : gris et blanc.

DISTRIBUE dans toute la Province de Québec jusqu'à la limite des arbres ce petit rapace est l'un de ceux que nous voyons le plus souvent. On le reconnaît à ses jambes nues, ses courtes ailes arrondies, sa longue queue au bout carré et sa poitrine finement barrée de noir. L'Epervier de Cooper, son émule, est un peu plus gros, a le bout de la queue arrondie et la poitrine striée verticalement, alors que le Faucon-pigeon, avec qui on le confond fréquemment, a les ailes pointues, le dos bleu et une *culotte rouge..* Au repos les ailes de l'Epervier atteignent à peine le tiers supérieur de la queue, alors que celles du Faucon vont jusqu'aux deux tiers.

L'Epervier brun est le plus petit de la trilogie de nos mauvais sujets (Autour, Epervier de Cooper et Epervier brun).

Mais il a toute l'impétuosité, l'audace et l'énergie de sa redoutable famille. Trop faible pour s'attaquer aux volailles il se rattrape sur les poussins et les petits oiseaux.

Son vol est rapide et précis, sa ténacité invincible. Quand il ne tient pas l'affût dans un arbre feuillu il se promène à la lisière des bois et dans la ramure, rôde autour des fermes et des haies, tantôt ramant et tantôt glissant sur l'air, l'oeil vif et le corps alerte. Un gibier se lève-t-il ? Aussitôt, il est à sa poursuite, force l'allure pour le rejoindre en l'air et le suit dans le couvert s'il a trop d'avance. Aucun obstacle ne l'arrête; il fonce dans un buisson épineux et en sort de l'autre côté avec sa proie. On l'a vu poursuivre des victimes jusque dans les maisons.

Certes, il connaît parfois la bredouille, mais pour peu de temps. Son effroyable activité finit par l'amener à portée d'un pinson ou d'un moineau, son gibier coutumier. Et les longues serres acérées font leur oeuvre.

L'Epervier brun est particulièrement actif et destructeur quand ses petits — trois ou quatre boules de laine Angora — sont au nid. Ces jeunes rapaces consomment au moins trois ou quatre oiseaux par jour et par tête. Et leurs parents, déjà prêts à les défendre contre l'homme lui-même, acceptent la rude tâche de les nourrir, quittes à les chasser du nid quand ils sont en état de voler. C'est l'époque où il manque des poussins à la fermière et où nombre de petits oiseaux deviennent orphelins.

Chez cette espèce, le mâle porterait bien l'appellation, autrefois acceptée en fauconnerie, de *tiercelet*. Il est en effet plus petit d'un tiers que la femelle ou *émerillon*. Cette disproportion de taille, aussi commune chez les rapaces que le dimorphisme, l'accouplement pour la vie et l'habitude qu'ont les mâles de nourrir les femelles sur le nid, donne raison à ceux qui qualifient de *mariage d'éperviers* les ménages où la femme a l'ascendant.

Comme presque tous nos rapaces diurnes l'Epervier brun est un migrateur. En août-septembre il nous quitte pour le sud des Etats-Unis. Souvent il suit en bande les voiliers de petits oiseaux migrateurs, continuant ainsi en voyage la tâche de régulateur qui lui a été assignée.

L'Epervier de Cooper, assez commun dans Québec, partage en grande partie les moeurs de l'Epervier brun.

LE FAUCON CRÉCERELLE D'AM.
(Falco sparverius)
Vulg. : **L'Emerillon.**
Angl. : Sparrow Hawk Kestrel.
L. 10 po.
Couleurs prédominantes : bleu et rougeâtre.

SI le Faucon pèlerin (Falco peregrinus) et le Gerfaut (Falco rusticolus), les deux oiseaux réputés les plus nobles au temps de la fauconnerie, sont de trop rares visiteurs chez nous, en revanche nous possédons deux autres faucons migrateurs qui rachètent par leur brillant coloris leurs autres déficiences. Le mieux vêtu et le plus commun des deux est la Crécerelle; le plus gros : le Faucon émerillon d'Amérique dont l'habitat est surtout forestier.

Le premier est le chasseur bleu et rouge, à peu près de la taille d'un Geai, que nous voyons tenir l'affût sur les arbres morts en bordure des *brûlés* ou voler bas au-dessus des champs, puis s'arrêter brusquement, battre des ailes et se précipiter sur une proie, sauterelle ou souris. Sa parenté avec les oiseaux *gentilshommes*, ceux qui chassent sans détours ni ruses et tuent vite, est révélée par ses ailes anguleuses dont les pointes, au repos, atteignent presque l'extrémité de la queue, ainsi que par ses allures fauconniennes. On le distingue de l'Epervier brun à sa taille exiguë (il est le plus petit de nos rapaces), à la forme des ailes, aux larges taches marron et bleuâtres qu'il a sur le dos, à l'habitude qu'il a contractée de hocher la queue en se perchant et de nicher dans un trou. L'Epervier brun construit toujours son nid sur un arbre de la forêt alors que le Faucon Crécerelle emprunte généralement celui abandonné par le Pic doré.

Un autre signe distinctif est le cri par lequel le mâle invite la femelle qui couve à venir prendre le bon morceau qu'il lui apporte ou la presse de venir le rejoindre au temps de la pariade. On le traduit d'habitude par *killi, killi*. Ce cri, le mâle le pousse au printemps en tournant au-dessus de son nid, comme s'il essayait d'imiter les oiseaux chanteurs au temps des amours et d'exprimer ses sentiments à la compagne de toute sa vie. Il lui est d'ailleurs fort attaché, l'aide à couver et lui témoigne toutes sortes d'attentions.

Comme tous les faucons la Crécerelle d'Amérique a les yeux pourvus de trois membranes dont l'une, transparente, lui permet de fixer le soleil. Ses ongles noirs sont en forme de faucilles (faucon vient de *falcis,* faux) et s'il lie ses proies avec ses serres, c'est du bec qu'il les tue. Ce dernier trait le place, dans l'estime des fauconniers, au-dessus de l'Aigle et du Milan, *oiseaux ignobles* qui, agissant simplement des griffes, déchirent et étouffent leurs victimes.

Moins rapide que ses grands frères, champions de vitesse chez les rapaces, la Crécerelle partage leur agilité et leur courage. Mais elle possède à nos yeux une qualité de plus : la sociabilité. C'est le rapace qui, laissé tranquille, endure le mieux le voisinage de l'homme. L'Emerillon nous fuit, mais la Crécerelle demeure pour nettoyer la ferme de ses petits rongeurs et de ses gros insectes nuisibles. Complaisance qui, jointe à l'honneur d'héberger un hôte de si noble lignée, doit nous inciter à le protéger de notre mieux, ne serait-ce que pour nous montrer aussi gentilshommes qu'un oiseau.

L'ENGOULEVENT COMMUN
(Chordeiles minor)
Vulg. : **Mangeur de maringouins.**
Angl. : Nighthawk.
L. 10 po.
Couleurs prédominantes : gris et blanc.

L'ENGOULEVENT est l'une des fortes personnalités du monde (très spécialisé) des oiseaux. C'est un timide qui a toutes les audaces, un ermite qui habite la ville et accomplit chaque année le plus long voyage de tous les migrateurs terrestres.

Citadins et paysans le connaissent au moins de vue et pourtant il est peu visible. Le jour il disparaît complètement. Son manteau, camouflé comme celui de son cousin l'Engoulevent criard, le protège par mimétisme, si efficacement qu'il dort à ciel ouvert sur un rocher, un toit ou le travers d'une branche (ses faibles pattes ne lui permettant pas de s'agripper comme d'autres), insensible, grâce à l'épaisse couche de plumes qui recouvre son corps, à la chaleur torride qui le baigne en été.

C'est au crépuscule et à l'aurore qu'il se montre. Les soirs de juin, lorsque les hannetons se livrent à leur sarabande nuptiale et que les fourmis ailés s'accouplent dans la tiédeur de l'air, nous voyons tout à coup surgir au-dessus des arbres de la campagne et des toits de la ville des oiseaux sombres, pourvus d'une queue allongée et d'ailes longues et pointue, marquées en-dessous d'un disque blanc. Leur vol gracieux est erratique comme celui de la Chauve-souris, mais à l'encontre de celle-ci qui tournoie silencieusement à faible hauteur eux s'élèvent en spirale, plus haut que les clochers, en imitant le bruit d'un calicot qu'on déchiffre : *ski-i-i-it.* C'est leur cri de chasse. Qui suivrait là-haut ces oiseaux qui dansent dans la lueur du couchant constaterait que leurs évolutions ont un but. Elles épousent les dérobades des proies pourchassées.

Car, avec son estomac aussi vaste que celui d'un pigeon, dont la taille est double de la sienne, et sa bouche garnie extérieurement de poils raides, large comme celle d'une grenouille, l'Engoulevent n'est rien autre qu'un filet à insectes actionné par un moteur qui brûle, en guise d'essence, des moustiques et autres bestioles. La nourriture enfournée et emmagasinée dans l'estomac fournit l'énergie nécessaire aux ailes, dont la puissance est en fonction du nombre des insectes avalés, des *insectes-vapeur.*

Certains auteurs croient que l'appareil tient l'air tant que l'estomac-réservoir est en mesure de l'alimenter, mais à la première fatigue, c'est-à-dire l'équivalent d'un raté dans un moteur à explosion, il redescend vers le sol en piquant du nez et en faisant au moment du redressement, un bruit caractéristique. Cette explication semble d'autant moins rationnelle qu'après ces plongeons l'Engoulevent ne se pose pas, mais retourne à la chasse.

Ces chutes effarantes, même chez un oiseau, ne sont peut-être après tout qu'un jeu, un truc pour faciliter la digestion d'un estomac gorgé ou une bravade amoureuse, puisque les mâles courtisent leurs compagnes en plein ciel. Chose certaine, elles justifient le nom savant de l'oiseau, *chordeiles,* c'est-à-dire instrument du soir, et le qualifient mieux qu'*engoulevent,* nom d'origine populaire fondé sur la croyance que le bruit produit à la descente provient du vent s'engouffrant dans la bouche caverneuse. Nous savons aujourd'hui qu'il est causé par l'air qui s'infiltre entre les plumes terminales des ailes.

Virevoltant et plongeant, ces acrobates du ciel parcourent, paraît-il, une trentaine de milles par jour pour prendre leur déjeuner et leur dîner sur l'aile. Bagatelle si l'on songe que certains d'entre eux entreprennent des voyages de quinze mille milles lorsqu'ils changent de climat. Quelques engoulevents du Nord vont en effet passer l'hiver en Argentine. D'autres s'arrêtent aux Bahamas et en Amérique centrale. Dans tous les cas la migration s'accomplit de jour, à grande altitude et à vitesse modérée, sans doute pour ne pas déranger les heures des repas.

L'Engoulevent est un oiseau qui ne fait pas de nid. Il dépose ses deux oeufs blanc-gris, tachés de sombre, sur un rocher ou un lit de gravier. C'est cette habitude qui l'a conduit dans nos villes. Lorsqu'il a découvert que nos toits plats, graveleux, étaient plus commodes que les terrains incultes, anciens lieux de nidification, il a accepté de se reproduire dans ces déserts artificiels. Et il s'est d'autant mieux adapté au nouvel habitat que la lumière des villes attire les insectes, ses proies exclusives. Comme les New-Yorkais les plus vingtième siècle, l'Engoulevent habite un *pent-house* et prend ses repas dans les airs. Les cheminées d'usine et les clochers d'église lui fournissent aussi des perchoirs commodes où il se repose loin de la foule qui s'écoule, indifférente à sa vie, dans les canyons formés par les rangées de maisons.

Mais on le trouve aussi (quand on peut le voir) sur les rochers, les voies de chemin de fer, dans les grandes plaines et sur les poteaux du téléphone. Toutefois, les oeufs sont toujours pondus sur une surface plate et rocailleuse, peut-être à cause de la chaleur emmaganisée par la pierre qui permet à la couveuse de quitter ses oeufs aux heures des repas.

La femelle, que l'on reconnaît à l'absence de barre blanche sous la queue, est très dévouée à ses petits. Elle les embèque régulièrement et les défend avec courage. Pour écarter les ennemis présumés, elle a coutume de les charger, sa bouche largement fendue, grande ouverte. Ce trou qui vole est assez impressionnant pour faire reculer la plupart des ennemis de l'espèce et l'homme lui-même. Mais si ce dernier tient tête, la femelle a recours au vieux truc des mères-oiseaux : elle feint d'être blessée et de tirer de l'aile pour attirer sur elle l'attention.

La molester, elle ou les siens, serait une mauvaise action. Aucun oiseau n'est plus serviable que l'Engoulevent qui nous débarrasse d'une foule de moustiques et d'insectes nuisibles sans rien demander en retour que la liberté de pondre sur nos toits. En Europe, on l'accuse parfois de sucer le lait des chèvres parce qu'il se promène autour des troupeaux pour manger les insectes qui les accompagnent. Chez nous on dit que son cri, comme celui du Bois-pourri, annonce des malheurs. Erreur et superstition qu'il faut s'empresser de combattre si nous voulons, non seulement conserver, mais multiplier dans notre ciel d'été ces précieux auxiliaires qui sont aussi de magnifiques voiliers.

L'HIRONDELLE POURPRÉE
(Progne subis)
Angl. : Purple Martin.
L. 8 po.
Couleur prédominante : violet foncé.

LA plus grosse de nos six Hirondelles est une voisine sociable et dévouée à nos intérêts. Elle préfère les maisonnettes que nous érigeons à son usage et les corniches de nos monuments publics aux arbres creux qui lui servaient autrefois de logement; heureux choix, qui assure une protection plus efficace de nos poulaillers et de notre santé. Lorsqu'elles vivent près de nous, les Hirondelles pourprées n'hésitent pas à attaquer l'Epervier en maraude sur notre terrain et, si elles ne réussissent pas toujours à le mettre en fuite, elles nous alertent par leur excitation et leurs cris. En tous temps elles débarrassent nos environs immédiats des moustiques porteurs de germes ainsi que d'une foule d'insectes nuisibles à nos cultures.

Mais l'Hirondelle pourprée n'aurait-elle aucune valeur économique nous devrions encore l'aimer et la protéger pour son gentil babil, ses prouesses aériennes et ses moeurs douces. Aucune pendule, si gaie soit-elle, n'émiette plus agréablement le temps que son gazouillis, aucune salutation n'est plus joyeuse que le bonjour qu'elle échange le matin avec ses compagnes et qui nous parvient dans notre lit. Sa maîtrise de l'air est un régal des yeux, son attachement au lieu de sa naissance, ses aimables dispositions envers ses congénères, son activité qui la garde au travail de quatorze à seize heures par jour, pourraient être autant d'utiles leçons.

Tout ce qu'on peut lui reprocher est une apparente indifférence à l'endroit des petits qui se jettent parfois en bas du nid pour échapper à la chaleur et aux parasites qui les torturent. Elle a coutume de les laisser sur le sol, exposés à la griffe du chat. Il est vrai qu'elle se montre contente lorsque nous rapportons le fuyard à son nid de brindilles, de plumes, d'herbes et de boue cimentées ensemble par une salive visqueuse; ce qui permet de supposer que l'abandon n'est pas manque de coeur, mais impuissance connue. Elle sait qu'elle ne peut ramener le petit dans son berceau.

Cette supposition paraît d'autant plus juste qu'après avoir couvé à tour de rôle les deux sexes se donnent beaucoup de mal pour nourrir leurs quatre à cinq petits. Ceux-ci demeurent au nid pendant plusieurs semaines et reviennent y coucher quand ils ont commencé à voler. On a vu des couples leur faire jusqu'à deux cents visites par jour. Chiffre remarquable si nous tenons compte du fait que chaque becquée de nourriture est faite d'insectes capturés au vol et représente peut-être un mille de zigzags et de plongeons dans l'espace.

Nombreuse autrefois dans les vallées des rivières, son habitat naturel, l'Hirondelle pourprée a beaucoup diminué après l'invasion du Moineau d'Europe, suivie de celle du Sansonnet. Ces deux oiseaux l'éloignent en s'emparant de ses maisons pendant qu'elle hiverne dans le Sud, depuis la Floride jusqu'au Brésil. Il nous appartient donc de lui ménager de nouvelles retraites et de la défendre contre ses ennemis si nous voulons voir de nouveau près de nous, mêlées aux Hirondelles de grange et autres fins voiliers, ces gracieuses auxiliaires que nos Peaux-Rouges attiraient dans leurs champs de maïs en suspendant à des gaules fichées en terre des gourdes percées.

L'HIRONDELLE DES GRANGES
(Hirundo rustica)
Angl. : Barn Swallow.
L. 6.95 po.
Couleurs prédominantes : bleu et rouge.

UNE légende de chez nous veut que ces Hirondelles soient de petits Esquimaux tombés d'une montagne où ils s'amusaient à construire des *iglous* de boue. Fable qui rappelle l'habitat de la plupart des hirondelles avant la venue de l'homme et tend à démontrer que ces charmants oiseaux ont, de tout temps, occupé l'imagination des peuples.

Les Grecs voyaient dans l'Hirondelle l'épouse de Térée, Propice, condamnée à chercher son fils Itys qu'elle avait assassiné et qui avait été transformé en Chardonneret. Lorsqu'une Hirondelle entrait dans une maison d'Athènes on l'enduisait d'huile, puis on la relâchait avec une formule d'exorcisme. En Turquie, au contraire, elle a la réputation de protéger la maison où elle niche, contre les incendies.

Les Russes et les Espagnols l'ont associée à la passion du Christ. Selon les premiers elle criait : *linden ! linden !* c'est-à-dire, mort ! mort ! pendant que le Moineau répétait effrontément : *jif, jif,* il vit, il vit. Pour les seconds, l'Hirondelle des granges a une gorge couleur de sang séché depuis qu'elle arracha les épines sur la tête du Sauveur.

Au moyen-âge, nombre de personnes étaient convaincues que cette hirondelle cachait dans son corps deux petites pierres extrêmement précieuses : l'une, rouge, guérissait toute maladie au premier attouchement; l'autre, noire, apportait la fortune. On lui croyait aussi le pouvoir de découvrir sur les grèves des petits cailloux qui rendaient la vue aux aveugles.

Plus tard les poètes en firent la « messagère du printemps » et elle porte encore ce titre bien que nombre d'autres migrateurs — au Canada spécialement — la précèdent sur le chemin du retour.

Quoi qu'il en soit, l'Hirondelle des granges est l'un des êtres privilégiés qui ont trouvé grâce devant l'homme. Exception faite de quelques brutes qui la prennent encore pour cible, l'amitié qui l'entoure est universelle. En Europe centrale, lorsque le mauvais temps l'empêche de passer les Alpes pour rejoindre ses quartiers d'hiver en Italie ou en Afrique du Nord, une organisation de secours lui fait franchir le dangereux obstacle en avion.

Cette précaution n'est pas nécessaire en Amérique du Nord où les grandes chaînes de montagnes sont parallèles aux routes de migration. Seules les nappes d'eau importantes semblent effrayer les Hirondelles, mais la puissance de leur vol leur permet de les contourner. Quand elles le veulent rien ne les empêchent de se rendre directement jusqu'en Argentine. Toutefois, le gros de la troupe s'arrête au Mexique et en Amérique centrale.

Le retour des quartiers d'hiver s'effectue à loisir et de jour, la troupe poussant sans cesse plus loin sa recherche de nourriture. Et un beau matin de mai, nous nous réveillons au milieu d'un cercle de pépiements. Par la fenêtre nous voyons nos amies, reconnaissables à leur queue en ciseaux, à leur manteau bleu acier et à leur poitrine rousse, qui chassent la bestiole d'une aile sûre, tantôt découpant des figures capricieuses dans le ciel pâle, tantôt rasant le sol au risque d'être attrapées par le chat qui déjà les guette.

Les premiers temps qui suivent leur arrivée, les Hirondelles demeurent en bandes. Elles mangent de compagnie et couchent ensemble, généralement dans les arbres ou les roseaux. Puis c'est la pariade, la cour en plein ciel et la mise en ménage par couples et par petites colonies.

Il est rare que plus d'une vingtaine de couples habitent dans la même grange, surtout depuis que les Moineaux ont contracté la mauvaise habitude de démolir les nids d'hirondelles et d'employer les matériaux récupérés à la construction des leurs, mais ce sont généralement les mêmes que l'année précédente ou leurs descendants. — « Où la mère a niché, nichent filles et petites filles », dit Michelet qui fait de l'Hirondelle rustique d'Europe, contre-partie de notre Hirondelle des granges, le symbole de la fixité du foyer.

S'il y a lieu de construire un nouveau nid, mâle et femelle s'emploient d'abord à trouver un trou de boue, trop heureux si le cultivateur intelligent qui les loge a la bonne idée de leur en faire un et de contribuer ainsi à la survivance de cette espèce d'auxiliaires. Ce mortier naturel est ensuite transporté sur une poutre de grange, enduit de salive, renforci de brins de pailles et d'herbes, et façonné en coupe. L'intérieur est garni de plumes de volailles ramassées dehors. Habitude dangereuse, car si ces plumes tiennent chauds les quatre à six oeufs blancs, légèrement mouchetés de rouge et de brun, elles sont souvent pleines de poux qui prospèrent aux dépens des deux couvées qu'un couple a accoutumé d'élever.

Quand les petits sont éclos, les parents commencent par les nourrir de bec à bec puis, lorsqu'ils sont plus vieux, ils leur laissent tomber la nourriture en passant, sans doute pour les habituer à capturer leurs proies dans l'air. Ils les encouragent aussi à voler en leur présentant des insectes à distance.

Toutes ces habitudes sont faciles à contrôler puisque l'Hirondelle se comporte devant nous avec le même abandon qu'aux premiers âges du monde, alors qu'elle habitait des caves et des anfractuosités de rochers. Confiance qui devrait nous la rendre encore plus chère et nous encourager à faciliter sa reproduction.

Car, l'espèce tend à diminuer près des habitations. Outre les empiètements du Moineau, elle est victime du progrès. Nos granges sont désormais trop belles, trop bien peinturées et surtout trop hermétiquement closes pour son goût. Lorsque le cultivateur n'a pas la précaution de lui ménager quelques ouvertures dans le pignon, elle n'est plus libre de ses allées et venues. Et si nous ne comprenons pas son appel au printemps, lorsqu'elle volette en criant autour de ces granges trop bien fermées et s'efforce, en tournant autour de nous, d'attirer notre attention sur son embarras, elle finit par se lasser et va ailleurs. Et c'est tant pis pour ceux qui ne comprennent pas l'avantage de garder près d'eux cette beauté ailée qui les débarrasse d'une foule de moustiques, souvent porteurs de germes nocifs, sans parler d'autres insectes nuisibles.

Même en-dehors de la migration, l'Hirondelle des granges est fréquemment associée à d'autres espèces d'hirondelles. Elle ajoute sa note sur les fils du téléphone, si semblables, à l'époque du départ de ces migrateurs, aux lignes d'un cahier de musique. Avec ses cousines elle se pose aussi quelques minutes sur les toits avant de reprendre, au-dessus des champs et de l'eau, cette élégante chasse aux insectes qu'elle continue quelquefois jusqu'à la sortie des Chauves-souris. Mais grâce à sa longue queue fourchue et à sa couleur caractéristique il est aisé de la distinguer et de la suivre des yeux à table, à l'abreuvoir, ou au vol, toutes fonctions qu'elle accomplit en volant et avec une grâce sans égale. Il est également facile de l'aimer pour toutes ses belles qualités et son doux gazouillis dans lequel Saint-François d'Assise discernait un accent de louange : — « Chantez, chantez mes soeurs », disait-il; « priez Dieu avec moi. »

L'HIRONDELLE À FRONT BLANC
(Petrochelidon pyrrhonota)
Angl. : Cliff Swallow.
L. 6.01 po.
Couleurs prédominantes : bleu noir, brun roux.

P ENDANT que l'Hirondelle des granges fait son nid à
l'intérieur, celle-ci colle le sien sur les parois extérieures du
bâtiment. Autrefois, elle le plaçait sur les falaises rocheuses,
mais l'homme est venu qui attire les insectes et élève des murs
de bois, très supérieurs aux surfaces recherchées anciennement
par l'espèce, surtout quand ils sont en vieux bois et dépeinturés.

A cet attrait vient s'ajouter celui de la compagnie d'autres
hirondelles. Il n'est pas négligeable pour de petits êtres sociables et doux qui aiment survoler de compagnie, à tous les
niveaux, les champs et les pièces d'eau, et adorent se baigner
et immigrer en troupes.

Mais avant de changer d'habitat l'Hirondelle à front blanc
s'assure de la présence de la boue. Dédaignant le secours de
la paille et des brindilles elle ne travaille qu'un mortier pur

qu'elle roule en boulettes, enduit de salive et transporte dans ses pattes et son bec. Les deux sexes s'emploient à cette tâche, disposent les boulettes en forme de soucoupe, puis de tasse et finalement d'un gros flacon dont le goulot serait incliné. Cette dernière forme est la plus parfaite, mais il arrive souvent que les constructeurs s'arrêtent à l'un des stages précédents ou que la femelle commence à couver pendant que le mâle poursuit seul les travaux.

Le nid est placé sous le rebord d'un toit, ou d'une corniche de falaise, pour qu'il ne soit pas lavé par les pluies. La femelle y pond de quatre à cinq oeufs blancs, tachés de cannelle ou d'olive. Il en sort des poussins frileux qui sont d'abord nourris d'insectes mous, puis d'aliments plus solides auxquels sont ajoutés de petits graviers pour aider la digestion. Cette dernière précaution est négligée par les adultes.

Le jour où les jeunes hirondelles à front blanc reçoivent leur baptême de l'air en est un de grande excitation pour les parents et les voisines. Toute la colonie se réunit pour encourager les néophytes de ses cris et de ses exemples. Le système doit être bon, car les petits apprennent très vite l'acrobatie aérienne et l'art de zigzaguer dans le ciel au milieu de la foule de congénères. L'automne venu, ils sont près à suivre parents et amis jusqu'aux quartiers d'hiver qu'on croit être au Brésil ou en Argentine.

L'Hirondelle à front blanc ressemble à l'Hirondelle des granges. Elle s'en distingue cependant par la queue courte et non effilée, le front blanc et le croupion brun.

L'HIRONDELLE BICOLORE
(Irodoprocne bicolor)
Angl. : Tree Swallow.
L. 5.90 po.
Couleurs prédominantes : vert et blanc.

Cette jolie hirondelle, au dos vert et à la poitrine blanche, se fait surtout remarquer en automne quand elle s'arrête sur les fils de téléphone avant de commencer sa migration diurne vers le Sud. La blancheur de ses dessous facilite son identification, car elle est alors mêlée aux autres hirondelles dont elle partage largement les moeurs. Comme ses cousines c'est un chasseur d'insectes, aussi gracieux que persévérant, qui poursuit son gibier de saison en saison, émigrant aux premiers froids pour nous revenir aux premières tiédeurs printanières, et couvant chez nous, généralement deux fois au cours du même été. Comme elles encore, elle est sociable, mue une fois par année, élève bien ses petits et détruit quantité de moustiques qu'elle attrape en volant la bouche ouverte. La salive aide à retenir les proies qui collent au palais, comme les mouches sur un papier gluant.

Cette espèce se distingue cependant en mangeant un peu de fruits sauvages à l'automne et en nichant généralement dans des arbres creux. Ces derniers tendant à devenir rares elle accepte quelquefois de loger dans les maisonnettes construites à son intention, quand elles ne sont pas trop éloignées des rivières et des marais, territoires de chasse préférés. C'est même leur prédilection pour le bord des eaux qui a fait naître la légende qu'elles passaient l'hiver sous la glace.

L'Hirondelle bicolore est la première à nous arriver au printemps et la dernière à nous quitter.

LE MARTINET RAMONEUR
(Chaetura pelagica)
Vulg. : **Ramoneur de cheminée.**
Angl. : American Swift, Chimney Swift.
L. 5.43 po.
Couleur prédominante : noir.

LES croissants de vieilles lunes noires qui tournoient dans nos ciels d'été sont des Martinets. Parents de l'Engoulevent et du Colibri, rivaux des Hirondelles, ils détiennent le championnat de vitesse chez les oiseaux. On en a vu dépasser des avions qui filaient à 100 milles à l'heure. Certains auteurs prétendent qu'ils peuvent faire du 200 à l'heure, ce qui serait deux fois plus vite environ que le meilleur effort du Faucon pèlerin, champion des rapaces.

Leur endurance égale leur vélocité. Grâce à l'envergure des ailes (un pied environ) qui supportent leur petit corps cylindrique aux lignes fuyantes, ils peuvent tenir l'air deux ou trois heures d'affilée et l'on croit qu'ils peuvent parcourir 1,000 milles en vingt-quatre heures. Voler est si peu une fatigue pour eux qu'après s'être gorgés d'insectes capturés dans leur bouche triangulaire faisant fonction de filet, avoir bu et s'être baignés au vol, ils continuent à se poursuivre et à évoluer par plaisir.

Lorsqu'ils se posent c'est toujours sur une surface verticale, en s'appuyant sur les pointes, raides et piquantes comme des épingles, qui se trouvent au bout de dix plumes de leur queue. Leurs pattes sont ainsi faites qu'elle peuvent s'agripper à une paroi lisse, mais encerclent difficilement une branchette. C'est pourquoi ils affectionnement l'intérieur des cheminées; celles-ci ont remplacé dans leur préférence les arbres creux qu'ils habitaient autrefois.

Ils ne les ramonent pas, quoi que laisse supposer leur nom vulgaire (tiré de leur couleur de suie plutôt que de leurs fonctions), mais la plupart y dorment et y nichent, les trouvant plus confortables que les troncs évidés où certains réactionnaires de l'espèce s'entêtent à élever leurs petits. En automne, à la veille du départ annuel, nous les voyons même se réfugier par troupes de plusieurs centaines d'individus dans une cheminée assez vaste pour les héberger tous. Avant de s'y installer ils donnent alors le curieux spectacle d'une couronne vibrante, suspendue au-dessus du cylindre et se désagrégeant par morceaux. A chaque tour de la bande bruyante un ou plusieurs oiseaux relèvent les ailes et se laissent tomber dans la gueule de la cheminée. Le mouvement est répété jusqu'à ce que tous se soient agrippés derrière le rang des premiers arrivés qui garnit le bord supérieur.

Au printemps les Martinets sont moins sociables. Chaque couple veut sa cheminée particulière. Après l'avoir choisie et peut-être gagnée de haute lutte les deux oiseaux s'emploient à construire le nid qui recevra les quatre à six oeufs blanc pur.

La première opération consiste à casser aux arbres, en passant, les brindilles sèches. Elles s'exécutent au vol avec le bec ou les pattes. Puis chaque brindille est enduite d'une salive gluante, secrétée par des glandes alors très développées et semblables à celles qui servent à certaines espèces de martinets chinois dans la construction de leurs nids comestibles, les célèbres *nids d'hirondelles*. Les premières brindilles sont piquées sur la paroi de la cheminée et les autres entre-croisées de manière à donner à la construction la forme d'une demi-soucoupe.

Seulement il arrive que les glandes salivaires s'assèchent tem-
porairement et que la ponte commence avant que le travail de
construction soit terminé. C'est que le rite nuptial s'est déjà
accompli en plein ciel, comme chez les Abeilles, le Martinet
étant le seul oiseau ainsi conformé qu'il puisse célébrer ses noces
dans l'espace.

Les deux sexes couvent et dorment le soir côte à côte sur le
nid. Quand celui-ci ne se décolle pas sous l'effet de la chaleur
du feu en-dessous et ne s'écrase pas avec son précieux fardeau,
les petits y naissent nus au bout de dix-huit jours environ.
Ils demeurent sous la dépendance de leurs parents pendant
quelques semaines. Ils sont généralement couverts de punaises qui, heureusement, dédaignent l'homme. Ils signalent leur
présence par un cri que l'on compare au bruit atténué d'une scie
qu'on aiguise. Le cri des adultes peut se traduire par *chip, chip,*

A leur premier vol les jeunes Martinets doivent se laisser
tomber du haut de leur cheminée. Leurs parents les poussent parfois dans le vide, sachant par expérience que l'espèce
n'est à l'aise que les ailes déployées et supportées par l'air.
Cette forme d'arc bandé est même si naturelle que les Martinets la conservent dans la mort. Lorsque nous en trouvons un,
rigide sur le sol, il a les ailes ouvertes, prêt à joindre le cirque
aérien dans le paradis des oiseaux.

Dès que les feuilles de l'érable commencent à rougir les
Martinets s'en vont. Ils prennent la direction du Sud, mais
personne ne sait exactement encore où ils vont. On croyait
autrefois qu'ils hivernaient dans la boue ou au fond de la mer.
Olaus Magnus, qui semble avoir été l'un des bons conteurs de
son temps, rapporte que les pêcheurs de la Méditerranée en
ramenaient à la surface dans leurs filets, mais qu'ils mouraient
aussitôt exposés à l'air. Cette explication satisfaisant peu les
savants modernes on enquêta sur la migration des Martinets.
Tous ce qu'on a pu trouver c'est que rendus au Golfe du Mexique ils disparaissent pendant cinq mois. En hiver, on voit parfois des individus à Haïti, au Mexique ou en Amérique centrale,
mais le lieu d'hivernage du gros de la troupe demeure secret.
On suppose que c'est le nord de l'Amérique du sud, mais peut-
être ces oiseaux remarquables passent-ils simplement notre
mauvaise saison dans quelque vieux temple Maya encore inconnu. Ces rois de l'air seraient bien dignes d'habiter un
palais.

L'HIRONDELLE DES RIVAGES
(Riparia riparia)
Vulg. : **L'Hirondelle des sables.**
Angl. : **Bank Swallow.**
L. 5.20 po.
Couleur prédominante : brun souris.

LA plus petite de nos hirondelles est la plus indépendante. Elle n'a besoin ni de l'appui de nos bâtiments, ni des insectes qui vivent dans notre sillage. Elle niche à l'écart et gagne sa vie au large. Mais elle nous visite parfois, ou plutôt elle vient saluer les hirondelles que nous hébergeons, la politesse et la sociabilité étant de tradition dans la famille.

Largement distribuée dans les deux Amériques, l'Europe, l'Asie et l'Afrique, l'Hirondelle des rivages a partout une idée bien arrêtée en matière de domicile. L'Hirondelle des granges niche volontiers dans une maison, l'Hirondelle des falaises

colle son nid à la façade d'une grange et l'Hirondelle bicolore,
dite *des arbres*, élève souvent ses petits dans une anfractuosité
de rochers, mais celle-ci ignore ces compromis. C'est toujours
dans la terre, sable ou argile, qu'elle creuse, avec son bec d'a-
bord, puis en s'aidant de ses pattes, le tunnel long de quelques
pouces ou de plusieurs pieds, selon les circonstances, qui mène
par une rampe douce à une chambre d'environ cinq pouces de
diamètre. C'est là qu'elle se réfugie le premier soir de son
retour de migration et qu'elle couve par la suite deux séries de
cinq oeufs d'un ovale très allongé et d'un blanc pur.

Moeurs de troglodyte, rares chez nos espèces, et dont les
avantages sont compensés par de nombreux inconvénients. Outre le travail d'excavation, toujours pénible, il faut compter
avec les visons et les belettes, grands fureteurs de leur nature,
qui saignent les adultes dans leur retraite souterraine, et surtout
avec l'eau qui mine les falaises et provoque des avalanches qui
emportent tout. Dangers permanents puisque le nombre des
Hirondelles de rivages n'a jamais été très grand et tend même
à diminuer depuis que le Moineau a trouvé commode de s'emparer de leurs terriers.

Mais l'espèce est têtue; elle continue à creuser les remblais
des chemins creux et les falaises riveraines ou maritimes, aver-
tie peut-être par un instinct ancestral qu'une colonie prospère
essaime et comble les vides causés ailleurs par les éléments ou
les bêtes.

Parfois, à la suite d'un accord tacite avec le Martin-Pêcheur, l'Hirondelle des rivages utilise le couloir qui mène au
nid de celui-ci. Elle n'a plus ensuite qu'à ouvrir une courte
galerie pour se trouver chez elle. Mais d'habitude la colonie
choisit une couche de terre favorable dans une falaise, une levée
de sable ou un *puits de gravier* et la perfore d'autant de petits
trous ronds qu'il y a de couples à établir. Les déblais sont
transportés au dehors avec les pattes et le bec, à une vitesse
réglée par la nature du sol. S'il renferme beaucoup de petits
cailloux le travail peut durer plusieurs semaines, quitte à être
abandonné à la dernière minute si les cailloux semblent pré-
senter un danger pour les jolis oeufs à mince coquille.

L'ouvrière perce alors un nouveau tunnel et vers la fin du
printemps la première nichée éclot sur un nid d'herbes et de

plumes. Dix jours plus tard les petits sont prêts à prendre leur vol et le père, qui aida à les couver, est maintenant seul à s'en occuper; la femelle prépare le nid pour la seconde couvée.

Quand celle-ci est en état de suivre les adultes à la chasse le temps est venu pour nos Hirondelles de rivage de songer au départ pour leurs quartiers d'hiver, là-bas, depuis le Vénézuéla jusqu'en Bolivie. Un beau jour d'août toute la bande brune et blanche, seule ou associée à un groupe d'Hirondelles bicolores, décrit un dernier cercle autour du terrier natal et prend la route des pays chauds.

LE COLIBRI À GORGE RUBIS
(Archilocus colubris)
Vulg. : **Oiseau mouche.**
Angl. : **Ruby-throated Hummingbird.**
L. 3.74 po.
Couleurs prédominantes : vert, gris et rouge (mâle).

LE Colibri à gorge rubis est un cadeau fait par les Tropiques à notre faune semi-boréale. Sa présence au milieu de nos Becs-croisés, Corneilles et Bruants est aussi insolite que pourrait l'être celle d'un Pingouin arctique parmi une colonie de Perroquets ou de Paradisiers. On ne sait d'ailleurs pourquoi, seul des quelque 750 espèces et sous-espèces de Colibris américains, il s'impose deux fois par année le voyage Panama-Baie d'Hudson, y compris la traversée en une seule étape du Golfe du Mexique (500 milles). Est-ce la conséquence d'un antique déplacement forcé, devenu depuis une habitude ? esprit d'aventure ? ou retour instinctif au berceau d'ancêtres très lointains ? Nous ne le saurons sans doute jamais et il n'im-

porte. L'essentiel est que le plus petit, le plus extraordinaire de nos hôtes ailés, continue de nous revenir d'année en année **et que chaque printemps** celui que les premiers colons français appelaient l'*oiseau-fleur*, refleurisse dans nos jardins avec les cerisiers.

Ce sont les mâles qui arrivent les premiers, en avance d'une huitaine de jours sur les femelles qui sont un peu plus grosses, vêtues aussi de vert émeraude, mais dépourvues de la parure de rubis qui orne la gorge de leurs époux. Ils signalent leur présence en produisant par l'agitation rapide et continue de leurs ailes brunes et transparentes, un bourdonnement caractéristique qui est la seule contribution musicale de l'espèce au concert printanier. Le Créateur ayant réparti équitablement les dons, les voix mélodieuses sont généralement réservées aux oiseaux vêtus d'un plumage plus terne. Le Colibri, brillant comme un bijou, exprime sa personnalité en couleurs et en bruit.

Les déficiences de leur gosier, dont ils ne savent tirer que de faibles cris à peine perceptibles aux oreilles humaines, n'empêchent pas les mâles de mener leur cour avec leur énergie naturelle, décuplée par le désir. Aussitôt arrivée chaque femelle est prise en chasse et forcée en quelque sorte de se poser sur une branchette pour admirer son poursuivant. Celui-ci l'entoure de cercles éblouissants, monte et descend à un fil invisible, se balance avec un mouvement de pendule en dessinant dans l'air une sorte de « U » plus ou moins ouvert, dont chaque bout est ponctué d'un éclair métallique, c'est-à-dire d'un rais de soleil reflété par sa gorge miroitante.

A ce moment l'atome amoureux brille de son plus parfait éclat. Les couleurs chatoyantes qui le parent et qui ternissent si tôt après la mort, sont alors avivées, comme si ses instincts exacerbés frémissaient à l'extrémité de ses plumes. Son sentiment se manifeste en beauté fulgurante, bien faite pour séduire la compagne dont les petits yeux vifs suivent ses évolutions acrobatiques.

Aussi déteste-t-il être dérangé dans son rythme de conquête. Malheur au rival qui pénètre dans son champ de séduction avec l'arrière-pensée de le supplanter. Il engage aussitôt avec lui un combat singulier, les longs becs noirs faisant fonction de rapières.

Face à face, le corps gracieusement arqué et semblant trouver dans l'air un point d'appui pour leur queue étalée en éventail, les deux champions s'escriment avec une fureur qui étonne chez ces êtres délicats. Les ailes vibrantes et la belle gorge rubis roulant des exclamations de colère, ils se précipitent l'un contre l'autre comme s'ils allaient s'embrocher mutuellement, reculent tout d'une pièce, reviennent à la charge, donnent et parent des coups avec une rapidité que notre oeil ne saurait mesurer.

Ces duels, qui se terminent d'habitude par la fuite de l'intrus, sont rarement tragiques, si remarquable est l'agilité des deux adversaires et si grand le soin qu'ils prennent de leur bec, trop fragile pour infliger autre chose que de légères piqûres. Mais ils illustrent bien la maîtrise de l'air de ces pygmées. Seuls peut-être de tous nos oiseaux, ils peuvent voler à reculons, de côté ou en avant avec une égale aisance, monter ou descendre perpendiculairement comme un autogyre, briser leur élan en plein vol et défier les lois de la pesanteur en s'arrêtant dans l'air pendant qu'ils se battent ou se nourrissent. Cette maîtrise non seulement les rend presque invulnérables, mais jointe à leur combativité naturelle elle leur permet d'attaquer, le plus souvent sans raison, toute bête qui excite leur ire. Si bien qu'écureuils, corneilles, tritris et même éperviers, peut-être moins effrayés qu'ennuyés par cette épingle bruissante qui danse près de leurs yeux, finissent par céder la place au Colibri, dictateur incontesté de tout territoire qu'il adopte.

Malheureusement, cette magnifique ardeur au combat est la seule que le Colibri mâle apporte en ménage. Après la pariade il reste simple spectateur des travaux de nidification. Pendant que sa compagne s'affaire, lui demeure sur son perchoir favori occupé à lisser ses plumes et à guetter l'apparition d'un adversaire possible. Il ne quitte son poste à intervalles réguliers, que pour aller manger. Et un beau jour (vers le début de juillet), pendant que la femelle couve, il l'abandonne brusquement. Il retourne en Amérique centrale disputer aux autres mâles ses touffes de fleurs préférées. Jamais il n'assiste à l'éclosion de ses petits, jamais il n'aide à les nourrir. Et lorsque sa famille ira le rejoindre, là-bas, en septembre-octobre, il ne la reconnaîtra pas.

Abandonnée à ses propres ressources la femelle n'en construit pas moins, en six jours environ, un chef-d'oeuvre de nid.

Fait de laine empruntée aux frondes des fougères, de graines
de pissenlit, de duvet de plantes, il est recouvert extérieurement
de lichens disposés fort artistiquement et attaché avec des fils
d'araignée ou des lambeaux de la demeure d'une chenille à
tente. Et comme il repose à plat sur une branche d'arbre, pommier ou autre, à plusieurs pieds du sol, il ressemble d'en bas
à un noeud de branche recouvert de mousse.

Dans cette coupe parfaite, d'environ deux pouces de diamètre, chaudement capitonnée de duvet végétal et souvent protégée du soleil et de la pluie par un bouquet de feuilles, sont
déposés à intervalle de deux ou trois jours, deux oeufs blanc
pur de la grosseur d'un petit haricot, qui éclosent à tour de
rôle après une incubation de onze à quinze jours. A leur naissance les petits, de la grosseur d'une abeille, sont nus et ressemblent à n'importe quoi sauf à des oiseaux. Lorsque leurs plumes commencent à pousser, sous forme de petites pointes rigides, ils imitent assez bien des pelotes d'épingles ou de minuscules porcs-épics; ce n'est qu'au bout de deux semaines environ
qu'ils deviennent de mignonnes boules duveteuses dans lesquelles est piquée l'aiguille noire du bec.

Leur développement est à la merci du temps. Des pluies
fréquentes retardent leur croissance en forçant la mère à protéger leur corps frileux au lieu d'aller aux provisions; un soleil
persistant peut les amener à quitter le nid au bout de trois
semaines.

La mère les nourrit d'abord par régurgitation, en déposant
directement dans leur estomac une bouillie d'insectes et en
particulier de bébés-araignées, cérémonie qui fait plutôt songer
au numéro d'un avaleur de sabres qu'à la poétique becquée des
oiseaux. Plus tard, après que les petits ont quitté le nid —
ce qu'ils font d'un seul coup et sans hésitation — elle leur donne encore quelques insectes de bec à bec, au vol; mais ils se
passent bientôt de cette aide. Les jeunes Colibris sont précoces; leurs instincts se développent tôt. A peine sortis du nid
ils savent cueillir les poux et autres bestioles qui se tiennent
à la surface inférieure des feuilles, récolter le nectar des fleurs
et attraper les insectes au vol. Ils prennent tout de suite l'habitude de se baigner dans la vasque des feuilles qui retiennent
la rosée, de chasser abeilles et taons avant de s'installer au banquet que leur offre une touffe de fleurs et de manger à heures
fixes.

Entre les repas, qui doivent être fréquents et copieux pour compenser l'énorme dépense d'énergie des ailes, les jeunes Colibris et leur maman se reposent. Leurs pattes, noires comme leur bec, sont trop frêles pour leur permettre de marcher, mais elles savent fort bien s'agripper à des fils métalliques, des brindilles ou des brins de foin. Ils passent ainsi de longs moments car, contrairement à l'impression que nous laisse leur activité, ils sont aussi longtemps arrêtés qu'en vol, exception faite de la migration qui s'effectue par longues étapes et à faible hauteur.

Etant sans peur les Colibris sont des oiseaux familiers. Notre présence ne les intimide nullement. Ils mangent volontiers à côté de nous, explorent parfois le bouquet de fleurs que nous portons dans nos bras. C'est pourquoi il est facile de les attirer en exploitant leurs goûts. Ils ont une prédilection marquée pour les fleurs rouges et orange, surtout quand elles sont en forme de trompette. Une touffe de monarde, un massif de capucines, de lis ou d'ancolies, reçoit leur visite régulière. Il est même possible de les dresser à prendre du sucre entre nos lèvres et à fréquenter assidûment les petites bouteilles d'eau sucrée, garnies de rouge pour imiter des fleurs, que l'on suspend aux piliers des vérandas. Il n'est pas de voisin ailé qui répondent plus promptement à nos avances ou accepte avec moins de façon l'hospitalité d'une maison, représentée par un sucrier découvert au milieu de la table.

En Amérique centrale, royaume des Colibris, et dans les Andes où l'on compte de nombreuses espèces, les Indiens avaient coutume de confectionner des vêtements avec les plumes multicolores de ces oiseaux. Les femmes faisaient aussi sécher les plus petites espèces et les portaient en guise de boucles d'oreilles, consacrant ainsi le caractère de bijou de l'oiseau.

Chez nous se répandit autrefois la coutume de mettre en cage les Colibris capturés au jardin. On leur composait un petit parterre artificiel avec des fleurs de papier dont la corolle retenait quelques goutte d'eau sucrée. Mais l'on s'aperçut bientôt que le prisonnier n'était pas dupe de cette mise en scène; il s'étiolait en cage et perdait ses belles couleurs. Le Colibri faisait la grève de la beauté.

Ce fut lui qui gagna. On finit par le laisser libre de butiner à sa fantaisie, de cueillir avec sa longue langue extensible, divi-

sée au bout en deux tubes parallèles, les infimes bestioles qui
s'attaquent aux plantes, et de fertiliser, à l'instar des abeilles,
les fleurs au calice profond.

Car, ce joyau vivant, qui semble avoir été créé exclusivement pour le plaisir des sens et l'enchantement de l'imagination, a son utilité. Il participe à la lutte contre les insectes,
éloigne les êtres malfaisants des lieux qu'il fréquente, aide la
nature à reproduire une foule de plantes. A nos yeux mal
ouverts il peut paraître une simple curiosité tropicale, un phénomène d'énergie condensée, un résumé de la beauté et de
l'étrangeté des oiseaux, mais le Créateur a été plus exigeant.
Il a voulu que son chef-d'oeuvre ailé servît par surcroît la grande collectivité des êtres.

CEUX QUI FRÉQUENTENT L'EAU

LE GRAND HÉRON BLEU
(Ardea herodias)
Vulg. : **Grue, Couac.**
Angl. : Great Blue Heron, **Quack.**
L. 42 po.
Couleur prédominante : bleu ardoise.

SOLITAIRE et méfiant le Héron bleu n'est jamais un proche voisin. Très commun dans Québec, nous pouvons le voir un peu partout dans les lacs et les rivières, sur le bord de la mer et dans les estuaires, mais à distance respectueuse. Comme il se tient généralement à découvert et que sa grande taille lui permet de surveiller de vastes horizons, toute tentative pour l'approcher d'un peu près ne réussit qu'à le mettre en fuite. Bien avant d'être à portée de fusil il s'élève d'un vol lourd, en vidant ses intestins et en poussant un cri rauque. Puis le cou replié sur le dos, ses longues jambes à la traîne pour servir de gouvernail, il rame lentement de ses larges ailes jusqu'au prochain poste de pêche.

Si nous nous contentons de l'observer à l'aide de jumelles nous le voyons se ficher pendant quelques instants, pieu vivant dont la couleur se confond avec celle du décor, et s'assurer que les alentours sont sûrs. Satisfait de ce côté il revient à la vie avec des gestes mesurés, rythmés, qui se fondent dans l'air pour ainsi dire et attirent peu l'attention. Le bec prend une position horizontale, le cou s'arrondit en « S » et le corps se meut tout d'une pièce, porté par les échasses des pattes qui se piquent dans l'eau à un angle de 45° afin sans doute de ne pas effrayer le gibier par une agitation intempestive.

Rendu au bon endroit le pêcheur s'immobilise de nouveau, cette fois ramassé sur lui-même, la tête presque au niveau des ailes et le long bec acéré pointé vers le bas. On pourrait croire qu'il dort ou qu'il se chauffe au soleil, sans autre souci que de laisser le temps couler entre ses pattes; mais qu'un être vivant passe à portée et la statue grise s'anime brusquement. Déclenché par le cou serpentin et guidé par les yeux jaunes, le bec s'abaisse avec une vitesse fulgurante sur la victime. Celle-ci est transpercée ou saisie si solidement qu'elle peut rarement s'échapper.

Quand la proie est petite, le Héron l'envoie en l'air et l'enfourne, la tête la première, dans son bec largement ouvert. Plus grosse, il l'assomme sur le sol avant de la déglutir. Et, si par hasard il a été trop ambitieux, si la victime est de taille à se défendre, il engage avec elle une lutte dont il ne sort pas toujours vainqueur. Outre qu'il lui arrive de succomber sous les serres des rapaces, ses ennemis naturels, il est quelquefois étranglé par le serpent d'eau (Natrix sipidon) qu'il capture, ou noyé par un gros posson qui l'entraîne en eau profonde. Risque du métier que le Héron semble toujours prêt à courir, comme si la perspective d'un repas complet était une tentation irrésistible pour ce perpétuel affamé réduit au régime des hors-d'oeuvres.

Car, si ce patient carnivore est prêt à pêcher toute écaille et à chasser indistinctement poil et plume, il est juste de dire qu'il fait généralement petite chère. Tenant l'affût surtout en eau basse, ses proies ordinaires sont des cyprinidés, des sangsues, des grenouilles et des libellules, menu auquel le hasard fournit rarement comme pièce de résistance un poisson un peu gros, un jeune rat musqué ou un poussin de gallinule. Si bien que ce modèle des pêcheurs au coup doit souvent quitter l'affût

dans l'eau pour traquer son déjeuner dans les herbes aquatiques. Il s'aventure aussi à terre où il se révèle bon chasseur
de souris et de sauterelles. Enfin on l'a vu, si mauvais nageur
qu'il soit, s'en aller à l'eau en suivant un banc de petits poissons. Simples expédients, puisque malgré sa patience et son
esprit d'entreprise, malgré la couleur de brouillard qui le protège par mimétisme et malgré ses avantages naturels, le Héron
est obligé, pour gagner honnêtement sa vie, de travailler jour
et nuit.

Ses seules vacances, encore qu'elles soient commandées par
l'impérieux instinct de la reproduction, il les prend au printemps, au temps de la pariade. Oubliant leur souci quotidien de
nourriture, les Hérons se réunissent alors par bandes d'une
trentaine d'individus ou davantage, dans de petits déserts de
sable ou d'herbe, pour s'y livrer au rite ancestral. Au milieu
d'un cercle formé par les femelles qui les encouragent de leurs
cris incessants, les mâles paradent dans leur bleu manteau de
noces, lavé de rouge et de noir sur le cou et les cuisses, arborant
leur aigrette blanche prolongée par de longues plumes noires.
Dignes comme des suisses d'église, ils déambulent avec com-
ponction et recueillent les hommages vociférés par la galerie.
Puis, lorsqu'il croit avoir séduit, chacun s'approche de celle qui
lui plaît et qui est probablement sa plus bruyante admiratrice.
A ce moment il se trouve toujours un rival pour s'interposer et
proposer un duel à coups de bec, où se dépense heureusement
plus d'adresse que de férocité. Enfin le rival se retire et le
couple s'envole vers la héronnière. Parfois la sélection des
femelles se fait après une simple danse où chaque mâle s'efforce
de l'emporter en gaucherie.

Les Hérons, solitaires à toute autre époque, sont grégaires
au temps des amours. Ils nichent par colonies sur de grands
arbres, souvent éloignés de l'eau d'un mille ou deux. Comme
ils reviennent chaque année au même endroit, ils se contentent
de restaurer, à chaque saison, la plate-forme de bâtonnets entre-croisés qui leur sert de nid. Les parents se relaient pour
couver les oeufs bleu-vert, généralement au nombre de quatre,
d'où sortent après une incubation de quatre semaines de petits
monstres impotents. Leurs parents les nourrissent d'abord
par régurgitation, puis en leur offrant, sur le côté du bec à la
mode des grands échassiers, des proies solides.

Entre les repas, qui viennent souvent de très loin et qui consistent surtout en poissons et en souris, les petits se querellent et crient presque sans arrêt. Certains s'aventurent à grimper au-dessus du nid en s'aidant du bec et des pattes, mais comme ils sont très gauches ils finissent par dégringoler et périr sur le sol. Il ne vient jamais à l'idée de leurs parents de les secourir ou de les nourrir, fait qui semble donner raison à ceux qui soutiennent que l'acte nourricier est un réflexe commandé chez les oiseaux par le bec ouvert des petits. Les parents n'offrent pas de nourriture à ceux qui ont le bec fermé, comme c'est le cas chez la plupart de ceux qui tombent du nid.

Excusés par les savants de leur stupidité apparente à l'égard de leur progéniture, les Hérons peuvent encore défendre leur réputation d'auxiliaires intelligents. Il est certain qu'une fois apprivoisés ils sauraient rendre quelques services dans la basse-cour. Sans atteindre à la perfection de cette grue allemande qui gardait seule le troupeau de vaches d'un village, séparait les coqs batailleurs, chassait les chiens errants et se rendait utile de mille autres façons, rien ne s'oppose à ce que notre Héron devienne le ratier de la ferme ou le juge de paix du poulailler. La nature l'a bien doué pour un rôle de surveillant ou d'agent de police. Mais, solennel et hiératique, il est encore plus à sa place dans son habitat naturel où « seul devant les eaux grises il semble, avec son image, plonger dans leur miroir sa pensée monotone » (Michelet).

LE PLONGEON À COLLIER
(Gavia immer)
Vulg. : **Huart.**
Angl. : Loon.
L. 32 po.
Couleurs prédominantes : noir et blanc.

TOUT en ayant une prédilection pour les lacs déserts et une voix qui est supposée être l'expression même de la sauvagerie, le Huart se montre assez souvent dans les lieux habités pour mériter le titre de voisin. Rares sont les villégiatures des Laurentides qui ne reçoivent, l'été, sa visite; plus rares encore ceux qui ne sont pas avertis, un jour ou l'autre, de la venue de la pluie par son cri strident, souvent comparé au rire d'un fou.

Chaque fois que nous le voyons, le Huart est en excursion de pêche et les sportsmen ont raison de le regarder d'un oeil soupçonneux. Braconnier emplumé, le Huart consomme tous les poissons-gibier qu'il peut attraper et en particulier les truitelles livrées par les piscifactures. Il les capture d'autant plus facilement qu'il se sert de ses courtes, mais fortes ailes pour nager, ou plutôt *voler* dans l'eau. Ces agents de propulsion, qui viennent seconder ses larges pieds palmés, lui permettent d'atteindre une vitesse supérieure à celle de ses victimes. C'est un jeu pour lui que de les gober et de les avaler sous l'eau.

Ce goût pour les salmonidés, amateurs de fraîcheur qui habitent en eau profonde pendant la saison chaude, n'explique qu'en partie l'habitude qu'a le Huart de se tenir au large. Si la profondeur où peut se trouver sa salle à manger n'embarrasse pas un plongeur de sa force, (les pêcheurs de *grises* au vif l'on parfois ferré au bout de quatre-vingts pieds de ligne), la vraie raison qui le pousse à s'éloigner des côtes, pourtant plus riches en cyprinidés, sangsues, crustacés, grenouilles et salamandres, (tous mets qui figurent dans son régime alimentaire), est celle de sa sécurité. Malgré l'épaisse carapace de plumes hydrofuges qui le recouvre et sa proverbiale habileté à esquiver, en plongeant, les coups de fusil, le Huart préfère voir venir le danger de loin. Il peut alors s'amuser de ceux qui le poursuivent dans une embarcation à pagaies ou à moteur.

Lorsqu'il est ainsi pris en chasse, le Huart commence par utiliser l'extraordinaire faculté qu'il possède de modifier à volonté sa densité. Il s'enfonce en ne laissant dépasser que son cou verdâtre, agrémenté chez les adultes en tenue de noces d'un faux-col blanc rayé de noir. Et quand les poursuivants se rapprochent trop, il plonge, ou plutôt il se laisse couler à pic, ne laissant à la surface aucun rond révélateur. Bien malin ensuite celui qui pourra dire où il sortira après une plongée qui peut durer une trentaine de secondes : tout près ou à une distance invraisemblable, devant derrière ou sur le côté de l'embarcation. Seul, le Huart sait où le mènent ses nombreux crochets, qui ne sont pas toujours commandés par le hasard, mais plus souvent le résultat d'une petite enquête, conduite rapidement entre deux vagues, quand l'oiseau risque un oeil hors de l'eau et s'assure de la direction prise par ses poursuivants.

Ce jeu de cache-cache peut durer indéfiniment, même si les occupants de l'embarcation sont armés. Grâce à l'élément de surprise qu'il mêle à son jeu, le Huart a toujours le temps de venir respirer à la surface avant qu'on ne l'ajuste. Quant à lasser ce robuste plongeur qui, d'après la légende huronne, rapporta la première becquée de terre ayant servi à reconstruire le monde après le déluge, il n'y faut pas songer. Nos Peaux-Rouges le savaient par expérience. Pour se procurer les beaux dessous blancs de Huart, avec lesquels il fabriquaient de chauds manteaux de bébés, ils se mettaient à l'affût et surprenaient l'oiseau rusé quand, aux petites heures du jour, il s'approche des bords en quête de nourriture. Ou bien, exploitant sa curiosité, ils l'attiraient à portée, soit en agitant doucement un chiffon devant leur cachette, soit en imitant son cri.

Tout en supportant patiemment, et peut-être avec humour, la poursuite à ciel ouvert, le Huart aime trop la solitude pour endurer longtemps le voisinage indiscret de l'homme. S'il plonge d'abord pour lui échapper, au lieu de s'envoler tout de suite comme un canard, c'est que ses ailes sont trop courtes pour enlever son poids sur place. Avant de décoller, il lui faut prendre du champ et courir dans le vent comme un avion, souvent pendant quelques centaines de pieds. Lorsqu'il se décide à quitter un endroit inhospitalier ou pauvre en poissons, il guette le moment propice et effectue un bruyant départ, en laissant derrière lui un large sillage. Une fois en l'air, il retrouve sa force et son élégance. Et c'est d'un vol puissant et sûr qu'il retourne sur un grand lac sauvage, son habitat préféré. Là, personne ne le voit culbuter quand il rate son amerrissage, généralement maladroit.

C'est là, après un hiver passé en mer sur la côte Atlantique des Etats-Unis et du Mexique, qu'il revient peu après le départ des glaces courtiser brièvement celle avec qui on le croit apparié pour la vie. Au printemps, presque tous les lacs du Nord hébergent, selon leur importance, un ou plusieurs couples de Huarts. Un îlot au large, le toit d'une cabane de castor ou de rat musqué, sont les lieux préférés pour la nidification. A leur défaut, la femelle pond ses deux oeufs olive (les plus gros de nos oeufs d'oiseaux) dans un creux du sol ou dans un nid rudimentaire, et toujours près de l'eau. Le Huart sait qu'avec ses courtes pattes, placées tout à l'arrière de son corps, il ne peut marcher. Il insiste pour demeurer près de son élément, même si ses petits, plus habiles que lui, peuvent sautiller sur le sol. Il est vrai que ceux-ci préfèrent aussi l'eau. Deux jours après leur naissance, ils s'y réfugient à la moindre alerte, pendant que leurs parents s'efforcent d'attirer sur eux-mêmes l'attention de l'ennemi.

Non contents de bien nourrir leurs petits de poissons en-
tiers, les Huarts s'occupent beaucoup de leur éducation. Les premiers jours la mère les emporte sur son dos, sans doute afin
de leur inspirer confiance, puis elle les encourage à se débrouiller seuls. Quand ils sont âgés de quelques semaines, les parents organisent, de bonne heure le matin, des courses dont le
but évident est de développer les muscles des ailes. Placés à
bonne distance l'un de l'autre, ils font courir entre eux les poussins en les encourageant de la voix. Plus tard, quand le moment est venu pour les jeunes Huarts de tenter leur première
envolée autour du lac natal, un autre rite se déroule. Les parents commencent par tourner en l'air plusieurs fois, comme
pour montrer la route et donner l'exemple. Puis ils se posent
et c'est au tour des petits à faire montre de leurs talents.

Comme cette cérémonie d'initiation se déroule vers le temps
où les Huarts s'assemblent pour la migration d'automne les jeunes Huarts essaient souvent leurs ailes devant une nombreuse
galerie qui les encourage de ses vociférations. Ce qui a fait
croire à certains naturalistes que les parents invitaient leurs
voisins à cette fête de famille...

Il arrive aussi que les Huarts se réunissent au cours de la
saison et se livrent à un jeu de leur invention, assez semblable
à la *tail* que pratiquent nos enfants, et qui se joue de bonne
heure le matin dans une baie profonde. Un oiseau en prend
un autre en chasse, puis celui-ci commence avec un troisième
compagnon à zigzaguer bruyamment sur l'eau. Quand toute
la bande s'est bien exercée à courir et à crier, chacun retourne
à ses petites affaires.

Elles consistent surtout, en dehors du temps des nids, à
traquer des proies sous l'eau, puis à venir se rincer le bec à la
surface, à dormir couché sur le côté, avec une patte et la moitié
du corps hors de l'eau, à nager doucement tout en guettant
dans le ciel les signes précurseurs de l'orage et à patrouiller
le terrain.

Le Huart est un oiseau peu endurant. Il tolère rarement
que canards, grèbes ou gallinules partagent son canton. Sa
façon de les dégoûter de son voisinage est aussi efficace que
cruelle. Dès qu'une mère Bec-scie part en promenade avec
ses *canetons* ou qu'une innocente gallinule semble vouloir s'éta-

blir sur *ses* eaux, il plonge et attaque du bec par en-dessous. On
l'a vu éventrer ainsi toute une famille de canards. Si bien qu'il
fait le vide autour de lui et que nombre de nos lacs, capables
d'héberger plusieurs familles d'oiseaux aquatiques différents,
demeurent son domaine exclusif. C'est à croire qu'il ne veut
pas de témoins pour ses pêches illégales de truitelles ou pour le
baiser qu'il sollicite chaque matin du soleil en lui présentant,
hors de l'eau, sa belle poitrine blanche.

LE BUTOR D'AMÉRIQUE[1]
(Botaurus lentiginosus)
Angl. : Bittern, Stake Driver, Thunder-pumper.
L. 28 po.
Couleur prédominante : jaune-brun.

"DÉDAIGNEUX du monde et dédaigné de lui » (Dr Coues) le Butor passe la plus grande partie de sa vie dans les endroits marécageux, souvent inaccessibles à l'homme, derrière un rideau d'herbes. Parfois il se montre dans les fossés humides en bordure des remblais de chemin de fer, au milieu d'une touffe de *quenouilles* sur le bord d'un lac ou dans la partie détrempée d'un pâturage, mais en général on l'entend plus qu'on ne le voit. C'est son cri d'amour qui nous annonce, au printemps, le retour de ce voisin cachottier.

---

(1) On trouve aussi dans notre province, mais il est rare, le petit Butor (Ixobrychus exilis). Mesurant à peine douze à treize pouces de long, c'est le plus petit de nos Hérons. Comme son congénère de grande taille, il habite les lieux humides et herbeux où il réussit généralement à se dérober à notre vue.

Aussi caractéristique que le choeur monotone des grenouilles, ce cri commande l'attention par sa qualité très particulière. Il ressemble à s'y méprendre au bruit que fait un homme enfonçant à coups de maillet de bois, un piquet de clôture dans un *ventre de boeuf.* L'imitation est si parfaite qu'on croit même entendre l'écho du coup. Pour la produire ou pour imiter le bruit d'une pompe de bois en action, autre numéro de son répertoire amoureux, l'oiseau commence par s'agiter comme s'il était en proie à de violentes nausées. Il avance la tête puis la retire dans un spasme du cou, ouvre le bec et fait claquer ses mandibules. Ce faisant il avale beaucoup d'air à gorgées précipitées, puis il le chasse brusquement de ses poumons, provoquant ainsi une sorte de petite explosion, suivie immédiatement d'un autre son plus sourd, *ka,* qu'on croit être vocal.

Quand plusieurs butors se livrent ensemble à cet exercice sentimental, on croirait vraiment que plusieurs hommes travaillent à clôturer la savane où se trouvent les oiseaux.

Ces appels sonores sont le prélude d'une cour discrète, qui consiste pour les mâles à marcher courbés devant les femelles et à engager entre eux des simulacres de combats. Le choix fait, chaque couple se retire à l'écart et prépare le nid. Règle générale, celui-ci est un mince matelas d'herbes à terre ou une sorte de radeau végétal ancré parmi la végétation. La femelle y dépose de quatre à six oeufs olivâtres ou brunâtres et les couve pendant quatre semaines environ.

Pendant l'incubation et les quelques semaines où les petits demeurent au nid, nourris par régurgitation, un silence prudent enveloppe la famille. La femelle prend même la précaution de ne jamais rentrer chez elle directement; elle se pose à quelque distance du nid et le rejoint en se faufilant à travers les herbes. Ces dérobades et l'habitude de *planter piquet* sont des attitudes héréditaires; les petits les adoptent dès le départ du nid, toujours copieusement souillé, qui est leur *home.*

Depuis que l'ancêtre butor, bien avant la venue du Christ sur la terre, a découvert cette défense passive, l'espèce a mis son espoir de survie dans son art du camouflage et dans son talent à imiter les piquets de bois plutôt que dans ses ailes. Si bien que tout butor que nous surprenons commence par se figer, par *geler* sur place, les yeux ouverts et guettant nos mouvements. Si nous feignons de ne pas le regarder, il cherche aussitôt à gagner le couvert, mais posément, insensiblement. Une fois derrière l'écran de verdure, il court se cacher au plus épais de la végétation. Et de cette retraite, ne laissant dépasser que sa tête qu'il balance avec les herbes au rythme du vent, il continue de nous surveiller longtemps après que nous l'avons perdu de vue.

Cette foi en son invisibilité a joué maint mauvais tour au Butor. Avant que la présente loi sur les oiseaux migrateurs soit en vigueur, nombreux étaient les chasseurs qui, forçant le jeu, envahissaient bruyamment sa retraite et le faisaient s'envoler. Comme son envergure et sa lenteur en font une cible facile, il était presque toujours abattu.

Blessé, ce timide, amoureux de la solitude, se montrait aussi brave qu'un Faucon. Se servant de ses ailes comme de béquilles, les plumes hérissées ses yeux jaunes enflammés de colère et le bec en garde, il attendait son bourreau crânement. Et quand celui-ci, novice ou maladroit, voulait saisir sa victime avant de lui donner le coup de grâce, le long bec pointu, si habile à capturer les bêtes du marais, le frappait avec la vitesse d'un éclair en visant aux yeux...

Ces combats inégaux sont heureusement de plus en plus rares. L'homme ménage sa poudre pour un gibier plus comestible ou moins innocent. Il laisse aux ennemis naturels, visons et rapaces, le soin d'empêcher la prolifération de ce membres de la famille Héron, assez sage pour cacher sa vie et que nous calomnions en appelant *butors* ceux de notre espèce qui nous semblent particulièrement grossiers.

LE GOÉLAND ARGENTÉ
(Larus argentatus)
Vulg. : **Mauve, Mouette.**
Angl. : Herring Gull.
L. 24 po.
Couleurs prédominantes : gris, bleu et blanc.

POUR la majorité d'entre nous le Goéland est plutôt un compagnon de voyage qu'un véritable voisin. Le plus souvent c'est du pont d'un bateau des lignes de navigation intérieure ou du spardeck d'un transatlantique que nous faisons sa connaissance. Car, de même qu'il a l'habitude de fréquenter les grands ports et les villages de pêche, où il exerce consciencieusement sa profession de boueur, il aime suivre les navires à passagers et recueillir les déchets de leur table. Grand voyageur lui-même il n'hésite pas à parcourir plusieurs centaines de milles lorsqu'il est assuré d'une douzaine de bons repas.

Ces lointaine excursions lui coûtent d'autant moins qu'il est excellent voilier et bon nageur. Porté sans doute par les courants d'air causés par le bateau en marche il suit ce dernier avec une aisance qui tient du prodige. Il semble qu'un fil invisible le tire comme un cerf-volant et que deux ou trois coups d'ailes suffisent à rectifier de temps à autre son vol à voile. A ce talent est jointe une grâce extrême dans l'allure. Les évolutions qu'il décrit pour éviter la rencontre d'un congénère ou s'approcher de l'eau sont toujours harmonieuses. Et quand il se pose sur la mer c'est avec la légèreté d'une plume.

Mais le Goéland ne se borne pas à suivre les touristes au large ou à flotter sur quelque lac du Nord en attendant l'occasion de voler la nourriture pêchée par un Huart ou un Canard sauvage. Il lui faut, chaque été élever une famille. C'est pourquoi, lorsqu'ils sont de retour de leurs quartiers d'hiver sur la côte Atlantique des Etats-Unis nos Goélands se retrouvent surtout sur le Rocher Percé, les îles et falaises du Bas Saint-Laurent et quelques récifs qu'ils ont adoptés. Les rares individus qui nichent dans le Parc National des Laurentides et sur les rives de quelques lacs au nord de Montréal sont des excentriques. Le gros de la bande se tient sur le bord de la mer, aux endroits habités d'année en année. Il est même permis de croire que les Goélands qui suivent les navires sont des mâles sans emploi ou des femelles stériles.

Un *barachois* sert souvent de rendez-vous aux adultes prêts à s'apparier. Les mâles s'y promènent fièrement, en saluant de la tête et en poussant des cris sonores. Par moments, deux rivaux s'envolent et se poursuivent dans l'air, puis reviennent sur le sol se battre à coups de bec, d'ailes et de pattes. Mais tout finit par s'arranger et un à un les couples gagnent le lieu habituel de nidification.

Un nid grossier, fait des matériaux qui leur tombent sous le bec et principalement d'herbes marines renouvelées à mesure qu'elles sèchent, reçoit les trois oeufs bleuâtres, tachetés de brun, que la femelle couve de 24 à 28 jours.

Quand ces premiers oeufs sont volés (par les corneilles, généralement) d'autres sont pondus jusqu'à ce que naissent les poussins.

Habituellement les petits ne quittent pas le nid avant de savoir voler, c'est-à-dire au bout de quatre à cinq semaines. Leurs parents les nourrissent d'abord par régurgitation, de bec à bec, puis en déposant devant eux, sur le sol, des aliments plus ou moins digérés. Les poussins contractent donc très jeunes l'habitude d'avaler sans haut le coeur les mets les plus infects; excellent entraînement pour des êtres condamnés à manger plus de pourriture que de proies fraîches. Car, si les Goélands attaquent parfois des petits poissons en surface ou des harengs dans les filets des pêcheurs, s'ils mangent quelques moules dont ils brisent la coquille en les laissant tomber de haut, s'ils attrapent dans les champs quelques rongeurs et quelques sauterelles, ils se nourrissent surtout des charognes que la mer rejette à la côte, des entrailles de poissons abandonnées par les morutiers et de détritus de toutes sortes. C'est d'ailleurs en assumant cette tâche malodorante qu'ils nous rendent les plus précieux services, bien que les marins les trouvent surtout utiles en temps de brouillard, quand leurs appels mélancoliques ou le bruit de crécelle que font les petits, les avertissent de la proximité de la côte ou des récifs.

Débrouillard et rusé, maître de l'air, sachant nager et plonger, accommodant sur le chapitre de la nourriture et pouvant s'abreuver aussi bien d'eau salée que d'eau douce, le Goéland est un oiseau robuste, bâti pour vivre plus de trente ans. Pendant les trois premières années de sa vie il est tout de gris vêtu, mais après la quatrième mue d'hiver il revêt le beau manteau argenté qui lui a valu son nom et sous lequel nous l'admirons un peu partout, car il est largement répandu. C'est un oiseau qui supporte assez bien notre voisinage quand nous le laissons tranquille et que non seulement nous devons endurer nous-mêmes, mais aussi protéger. Le temps est passé où l'on tuait les Goélands par milliers pour satisfaire aux caprices des modistes. L'Etat veille aujourd'hui à ce que ces auxiliaires de nos services d'hygiène se reproduisent en paix. Plus au Nord, là où le respect des lois est plus difficile à obtenir, une superstition les protège. Un Esquimau ne mangerait pas un oeuf de goéland de peur de vieillir prématurément...

LE MARTIN-PÊCHEUR ou ALCYON
(Megaceryle alcyon)
Angl. : Kingfisher.
L. 13.02 po.
Couleurs prédominantes : bleu et blanc.

L E Canada, pays poissonneux, riche surtout en espèces de carpes naines *(ménés)* attire ce brillant et habile pêcheur. On le rencontre partout depuis le bassin du MacKenzie jusqu'à la frontière américaine, du Labrador aux Rocheuses et, quelquefois, sur le bord de la mer. Dans le Québec il est commun sur le bord des lacs et des cours d'eau limpides bien pourvus de petits poissons, salamandres, insectes aquatiques — et autres bestioles. Il y signale sa présence par l'éclat de son manteau bleu-gris et le sifflet qui lui sert de cri d'appel et de chant d'amour.

L'élégance n'est pas son fort. Il nous semble même un peu ridicule avec son corps trapu, sa grosse tête que la huppe lâche fait paraître ébouriffée, et son bec noir qui n'en finit plus. Mais il faut se dire que les difformités que nous prenons pour des défauts sont en réalité des avantages physiques chez ce plongeur spécialisé. Sa solide charpente lui permet de s'élancer perpendiculairement d'une hauteur pouvant atteindre cinquante pieds et subir sans danger le contact brutal de l'eau, alors que la lourde tête entraîne et guide ce plongeon avec une précision étonnante. Et l'on comprend l'importance du bec quand on sait qu'il sert non seulement à saisir les proies, mais encore à creuser la terre.

Car cet amateur de vie au grand air est un sapeur remarquable. Il respecte la tradition établie par ses ancêtres reptiliens qui pondaient dans le sol; il continue d'élever sa famille dans une retraite souterraine.

Une fable voulant qu'Alcyon, fille d'Eole, ait été métamorphosée en Martin-Pêcheur après la mort de son mari, noyé dans un naufrage, on crut pendant des siècles que les espèces européennes, apparentées aux quelque 250 autres espèces répandues dans le monde et dont six sont américaines, nichaient sur la mer pendant cette période calme de l'été appelée aussi alcyon. Les flots, commandés par Neptune, se seraient tenus tranquilles pour leur permettre d'élever en paix leur nichée. Mais si l'on croit encore, dans certaines campagnes d'Europe que la dépouille d'un Martin-Pêcheur, suspendue à un fil, pointe toujours le vent du bec, et qu'enfermée dans un placard elle éloigne les mites, on a renoncé à la légende du berceau marin. On sait là-bas, comme ici, que les jeunes marins naissent, non pas sur un lit de varech odorant, mais bien sur un matelas d'arêtes et d'écailles de poissons, à l'extrémité élargie d'un tunnel en pente pouvant mesurer de quatre à quinze pieds de long.

Ce terrier, placé aussi haut que possible sur une falaise argileuse, une levée de sable, ou, à leur défaut, entre les racines d'une souche renversée, c'est le mâle qui le creuse en grande partie. Et chaque printemps, à son retour des Antilles ou de l'Amérique du sud, en attendant l'arrivée des femelles qui suivent à quelques jours d'intervalle, son premier soin est de le visiter et de s'assurer qu'il est encore en état de servir. Il ne lui reste ensuite qu'à faire valoir ses droits sur son ancien canton de pêche pour être prêt à s'accoupler.

Cet acte important s'accomplit après la petite démonstration d'usage : le mâle plonge, vole, simule des combats avec des rivaux, bref donne un échantillon de ses talents de père de famille. Il se pavane aussi dans ses habits de noces, comme s'il ignorait que sa future compagne fait exception à la loi générale des oiseaux en étant mieux vêtue que lui. Elle se distingue même en ajoutant au simple collier bleu des mâles, un second collier roux et des rubans de même couleur de chaque côté de la poitrine.

Les oeufs, dont le nombre peut atteindre la douzaine, mais qui dépassent rarement six ou huit, sont couvés par la femelle pendant seize ou dix-sept jours. Le mâle la relève de temps à autre, la nourrit quand elle est sur le nid et couche à ses côtés pendant les heures de la nuit où il ne pêche pas. Il partage aussi avec elle le soin de défendre la nichée contre les maraudeurs à quatre pattes et les serpents. Tous deux mordent avec force la main humaine tendue vers leur nid.

Les petits naissent nus. Leurs plumes se forment dans des étuis qui s'ouvrent un beau jour et les laissent couverts d'un plumage assez semblable à celui des adultes. Leur habitude de se tenir la tête tournée vers l'entrée du tunnel, leur regard étant sans doute attiré par la faible lumière qui pénètre par l'ouverture, fait dire à William Finley « qu'ils poussent comme des pommes de terre », la partie éclairée de leur corps, soit la tête et le bec, se développant plus vite que les autres.

Pendant leur séjour au nid, révélé par un bruit de rouet, les jeunes martins sont d'abord nourris par leur père, puis, lorsqu'ils sont assez robustes pour se passer de la chaleur de leur mère, par leurs deux parents. Ceux-ci leur apportent, à tour de rôle et à intervalle de quinze minutes environ, des proies fraîches qu'ils avalent toutes rondes et dont les parties inassimilables sont rendues sous formes de boulettes. Le transfert de la nourriture est facilité par l'habitude qu'ont les adultes de la transporter dans la longueur du bec et de toujours la servir la tête la première.

A mesure qu'ils grandissent les poussins s'approchent de la sortie du tunnel, peut-être avec le désir naissant de s'envoler, mais plus probablement à cause de l'odeur nauséabonde qui s'échappe des déchets en décomposition et du ruisseau de fiente qui coule dans le tunnel. Ils n'ont pas, comme leurs parents, la ressource de se baigner à chaque sortie, aussi ne se font-ils pas prier lorsque ceux-ci, perchés sur une branche voisine, décident qu'ils sont d'âge à voler et les appellent au dehors pour les conduire à leur première leçon de pêche.

Deux ou trois semaines s'écouleront encore avant que les jeunes martins apprennent l'art de prendre leur élan avant de plonger, celui de maîtriser les proies un peu plus grosses avant de les avaler et celui de la natation. C'est pourquoi les parents continuent à les nourrir pendant quelques jours avec les poissons qu'ils pêchent sous leur nez. Mais cette éducation faite, les petits sont abandonnés à leur sort et les adultes retournent à leur pêche solitaire.

Le Martin-Pêcheur exerçant sa profession par nécessité et non par sport, se comporte beaucoup plus intelligemment que nombre de sportsmen. Il sait combien il est facile d'épuiser un territoire poissonneux; c'est pourquoi sa compagne a son propre canton de pêche et lui-même ne tolère pas d'autres mâles sur le demi-mille environ de ruisseau ou de rive de lac qu'il s'est réservé et qu'il exploite systématiquement. Il visite, à tour de rôle, les branches qui surplombent ses trous de pêche et qui servent à la fois de tour de guet et de plongeoir. Lorsqu'il a fini sa tournée ou que le chassant de perchoir en perchoir nous le conduisons à la limite de son canton, il fait un crochet et revient à l'autre extrémité.

Mais les martins-pêcheurs ne pêchent pas seulement à l'affût; ils traquent aussi leurs proies en volant au ras de l'eau. Ils ne sont pas non plus les esclaves d'un régime de carême; ils mangent volontiers des insectes et au besoin de petits fruits sauvages.

Leur seule mauvaise habitude est de s'installer quelquefois près des piscicultures et de s'imaginer qu'on y élève des truites à leur usage. Ou encore, de visiter les étangs de plein air où l'on garde des poissons rouges et de pêcher dans ces réservoirs commodes. Il est vrai que dans les deux cas on réussit à les décourager en interposant un treillis métallique, ce qui vaut mieux que les tuer bêtement.

Car, même si l'on ne croit pas, comme en certains pays d'Orient, que les Martins-Pêcheurs transportent les âmes au paradis, protègent des coups à la guerre et de la foudre en tous temps, il est permis de les considérer comme des voisins peu encombrants et fort pittoresques. Leur continuel va et vient sur les pistes aériennes bien tracées qui mènent de leur terrier à leurs portes de pêche, leur joyeux sifflet, la teinte azurée de leur manteau hydrofuge et leurs hardis plongeons sont autant de spectacle qu'il convient de ménager dans un monde déjà trop porté à se dépouiller de sa beauté première.

LE CAROUGE À ÉPAULETTES
(Agelaius phoniceus)
Vul. : Étourneau aux ailes rouges.
Angl. : Red-Winged Blackbird, Officer Bird.
L. 9.51 po.
Couleurs prédominantes : noir et rouge (mâle).

CHAQUE printemps ramène du sud des Etats-Unis, dans nos champs de roseaux et nos marais, ces oiseaux sociables et tapageurs, étroitement apparentés au Goglu et à nos rares vrais étourneaux. Les vieux mâles, reconnaissables à leur épaulette feu, arrivent d'abord, vers le temps où les Merles commencent à courir sur nos pelouses, puis viennent les mâles nés l'année précédente, qui portent des épaulettes oranges, et enfin les femelles dont le plumage gris, rayé de brun et de jaune, est tout à fait différent.

Celles-ci font bande à part durant l'hiver et demeurent réunies pendant la migration de retour. Ensemble elles visitent les lieux de nidification, causant chaque fois une grande excitation chez les mâles et laissant derrière, à chaque nouveau départ, autant de leurs compagnes qu'il y a de maris disponibles. Quand tout le groupe est absorbé par les colonies rencontrées sur son passage, sans qu'on sache encore très bien quel sexe choisit l'autre, les couples sont formés et le bord des eaux est plein d'animation et de chants.

Cette période de joyeux abandon, marquée de petis vols inutiles et des trois notes amoureuses : *o-ka-li* mille fois répétées, a été surnommée le *carnaval des étourneaux*. Elle dure le temps que mettent les herbes aquatiques à verdir et à pousser. Lorsqu'elles sont jugées assez longues la femelle y attache, à deux ou trois pieds du sol, son nid assez profond pour retenir les petits quand le vent balance leur berceau aérien. Puis elle pond généralement cinq oeufs verdâtres ou bleuâtres, parfois si curieusement striés de noir qu'on pourrait croire que la pondeuse s'est trempée les pattes dans l'encre avant de les retourner.

Pendant la ponte et la couvaison le mâle, toujours paré de son habit de noces : noir lustré, agrémenté de deux taches rouges sur le haut des ailes, surveille les environs et nous signale par son chant l'emplacement approximatif du nid. Très brave, il n'hésite pas à attaquer le rapace qui passe trop près, ni à pousser son cri de colère, *choque, choque* dans le visage de l'homme qui envahit son canton. Mais là se borne son rôle, quand il ne succombe pas aux instincts polygames de l'espèce et ne recommence par la pariade avec une jeune femelle retardataire ou une veuve de la colonie. Toutefois, il est permis de croire que ce sont là des cas exceptionnels; normalement le mâle reste fidèle au premier nid, demeure son protecteur et plus tard son nourricier.

Une fois nés les petits sont nourris surtout d'insectes nuisibles, tels que chenilles et charançons, qui sont déposés dans leur gorge. Leur mère surveille les réactions des muscles du cou et si un petit n'avale pas son repas elle le lui reprend et le donne à un autre. Elle se charge aussi de tenir le berceau propre, en enlevant dans son bec les excréments qui, chez cette espèce, sont enrobés d'une muqueuse comme d'une sorte de cellophane...

Quelquefois, quand le printemps est hâtif ou qu'un accident détruit le nid (le plus fréquent est une culbute provoquée par la croissance trop rapide des herbes auxquelles il est attaché),

une autre couvée est élevée; mais plusieurs couples, spécialement au Nord de l'habitat, n'ont le temps de se reproduire
qu'une seule fois et de muer avant leur départ. Puis, ayant
perdu le lustre de leur plumage jusqu'à la saison prochaine les
étourneaux commencent leur lente migration vers le Sud. Toute
la colonie, à laquelle se joignent d'habitude d'autres ictéridés
et entre autres des Vachers, quitte les roseaux pour les champs.
Le nombre des individus augmentant sans cesse en chemin
elle forme bientôt ces régiments d'oiseaux, dont les manoeuvres
d'ensemble font l'admiration des ornithologistes et la terreur
des paysans.

Car, si les Carouges et leurs alliés sont de précieux
auxiliaires au début de la saison, quand ils aident à débarrasser
les cultures de leurs parasites, ils peuvent devenir de terribles
ravageurs au temps de la récolte. On se représente aisément
les dégâts que peuvent causer à un champ d'avoine ou de blé
une dizaine de milliers d'oiseaux qui s'abattent dessus tous à
la fois. Le pis, c'est que les coups de fusils ne suffisent pas
toujours à éloigner ces pillards. Ils s'envolent bien au bruit,
reforment leurs rangs en l'air comme s'ils allaient franchir une
longue étape, mais dès que le tireur a le dos tourné ils font
demi-tour, se posent près du champ convoité et y retournent
en se faufilant à travers les herbes...

Il est malheureux que les Carouges ne sachent pas lire,
car ils apprendraient de certains rapports savants, qu'ils préfèrent les graines de mauvaises herbes à celles des céréales,
S'ils avaient un peu plus d'instruction, ils ne nous mettraient
pas dans la dure nécessité de payer à l'automne en coups de
fusil les services qu'ils nous rendent au printemps. Et ils nous
laisseraient nous amuser, sans arrière-pensée, de leur discipline
militaire et de leurs moeurs de bohèmes.

LA MAUBÈCHE BRANLE-QUEUE ou GUIGNETTE GRIVELÉE
(Actitis macularia)
Vulg. : **Tape-cul, Branle-queue, Alouette.**
Angl. : **Sandpiper, Teeter, Tip-Up.**
L. 7.50 po.
Couleurs prédominantes : **brun et blanc.**

N'ÉTAIT son attachement à l'eau douce ou salée cet oiseau pourrait être classé (aussi arbitrairement que les autres) dans le groupe de ceux qui piètent. C'est à terre que nous le voyons d'habitude, traquant les insectes et s'immobilisant devant eux à la façon d'un chien d'arrêt avant de se précipiter et de les saisir. A moins que nous ne le surprenions sur un rocher émergé en train de balancer son corps gracieux sur ses raides petites pattes jaunes comme s'il saluait à la ronde des personnages imaginaires.

Comme il est très répandu d'un océan à l'autre et du cercle arctique au Golfe du Mexique sa rencontre est fréquente. Partout il se fait reconnaître, même quand il est mêlé à d'autres pluviers, par sa poitrine grivelée et le balancement typique qui lui a valu son nom vulgaire de *tape-cul*. Ses ailes arquées en vol, les secousses brusques qu'il leur imprime et son cri d'alarme, *pi-ouit,* son aussi des signes distinctifs.

Bien que l'une des plus petites de nos espèces de rivage la Guignette est une grande voyageuse. Chaque automne elle fait seule, ou en compagnie d'une troupe de congénères, un trajet aérien qui la conduit en Amérique du Sud et dans certains cas, jusqu'au lointain Brésil. C'est de là qu'elle nous revient au mois de mai suivant, aussi fraîche, aussi active que si elle arrivait d'un étang voisin.

Dès le retour les couples se forment à l'appel du mâle qui court de long en large sur les grèves en donnant tous les signes de l'impatience. Et à la fin de mai quatre oeufs crème, mouchetés brun, sont déposés dans une sorte de corbeille plate, placée près de l'eau et abritée par une touffe d'herbes ou par les branches basses d'un arbuste. Le mâle aide à les couver pendant les deux semaines que dure l'incubation.

Les deux parents mettent beaucoup de zèle à défendre leurs oeufs et leurs petits. L'homme ou le chien qui les approchent à une distance jugée périlleuse voit tout à coup à ses pieds une petite bête éplorée, apparemment fort mal en point qui se traîne sur ses ailes en poussant des cris plaintifs et qui s'efforce de l'entraîner hors de la route qui mène à son trésor. Ruse encore efficace, même après que des générations d'oiseaux en ont abusé.

Les poussins sont précoces et soulagent plus tôt que d'autres leurs parents de la tâche familiale. Quelques minutes après avoir brisé leur coquille ils courent sur le sable et hochent la queue comme père et mère. Surpris par le danger au bord de l'eau, alors qu'ils sont encore revêtus du duvet natal, il leur arrive de plonger, puis de regagner la rive à la nage.

Cette aisance à se mouvoir dans l'élément liquide est caractéristique. Comme le Cincle, ce curieux oiseau des montagnes (on le trouve dans l'Ouest) qui arpente le fond des ruisseaux en quête de nourriture, la Guignette adulte peut, en s'aidant de ses ailes, marcher et nager sous l'eau, puis s'élancer dans les airs sans repos préalable à la surface; exploit dont sont incapables la plupart des oiseaux dits aquatiques. Ce talent la sert surtout quand elle est poursuivie par un épervier ou une pie-grièche, ses ennemis naturels.

Mais la Guignette n'est pas seulement un oiseau habile, une gracieuse et peu farouche voisine des fermes en bordures du Saint-Laurent ou des villas d'été dans les Laurentides; c'est encore une précieuse auxiliaire. Peu difficile sur le choix de son habitat, nichant aussi bien dans un champ humide que sur une grève de sable, elle n'est pas moins accommodante sur le chapitre de la nourriture. Elle gobe indifféremment vermisseaux et sauterelles, insectes aquatiques et insectes champêtres. Et elle met tant de conscience à faire la police de nos champs que si nous la faisons lever d'un endroit elle y revient invariablement après avoir fait un crochet.

C'est pourquoi il est honnête, lorsque nous la rencontrons sur une pierre ou sur une grève de lui rendre son salut profond.

TABLE DES MATIÈRES

* *Astérique indique les noms communs.*

* *Astérique qui indique les noms communs.*

* *Astérique qui indique les noms communs.*

* *Astérique qui indique les noms communs.*

---

* *Astérique qui indique les noms communs.*

Achevé d'imprimer
le 10 septembre 1969
sur les presses de
PAYETTE & PAYETTE INC.
(Montréal et Saint-Jean, Qué.)
pour le compte des
Éditions du Jour Inc.